Bibliographie Karl R

1924—1969

BIBLIOGRAPHIE KARL RAHNER

1924-1969

Herausgegeben von
Roman Bleistein
Elmar Klinger

Mit einer Einführung von
Herbert Vorgrimler

HERDER

FREIBURG · BASEL · WIEN

Herder Druck Freiburg im Breisgau 1969
Bestellnummer 14 221

EINLEITUNG

Als Karl Rahner 1964 das 60. Lebensjahr vollendete, haben ihm seine Schüler und Freunde eine zweibändige Festschrift gewidmet („Gott in Welt“, 83*, 667 und 964 Seiten, Verlag Herder Freiburg — Basel — Wien). Sie war herausgegeben worden von Johannes Baptist Metz, Walter Kern SJ, Adolf Darlapp und Herbert Vorgrimler, die zusammen mit Georg Muschalek SJ die Teilnehmer des allerersten Doktorandenseminars Karl Rahners gewesen waren. In ihrem II. Band, S. 900—941, enthielt sie eine von Georg Muschalek SJ und Franz Mayr zusammengestellte chronologische und systematische Bibliographie Karl Rahners. Seither hat sich dessen Schrifttum mehr als verdoppelt; die systematischen Aspekte haben sich vervielfacht. Auf einen immer häufiger geäußerten Wunsch hin haben zwei heutige Mitarbeiter Karl Rahners, Dr. Roman Bleistein SJ und Dr. Elmar Klinger, das Schrifttumsverzeichnis vervollständigt und neu gegliedert. Ihnen sei für ihre ebenso gründliche wie selbstlose Arbeit an dieser Stelle besonders gedankt. Aus Anlaß der Vollendung des 65. Lebensjahres Karl Rahners legt der Verlag Herder die neue Bibliographie der Öffentlichkeit vor. Das Foto-Porträt stellte in dankenswerter Weise das Studio Fred Meinen in München zur Verfügung. Hier vorangestellt seien nur kurz informierende biographische Angaben.

Karl Rahner wurde am 5. März 1904 in Freiburg i. Br. geboren, als viertes von sieben Kindern des Gymnasialprofessors Karl Rahner (1868—1934) und seiner Frau Luise, geb. Trescher (geb. 1875). Er besuchte 1913—1922 das Realgymnasium in seiner Heimatstadt und trat nach dem Abitur 1922 in das Noviziat der Gesellschaft Jesu in Tisis bei Feldkirch (Österreich) ein. 1924—1927 studierte er Philosophie an den Ordenshochschulen in Feldkirch und Pullach bei München. 1927—1929 unterrichtete er an der Ordensschule in Feldkirch; der von den Nazis 1945 hingerichtete Alfred Delp gehörte dort zu seinen Schülern. Theologie studierte er 1929—1933 an der Ordenshochschule in Valkenburg (Holland). Am 26. 7. 1932 wurde er in St. Michael (München) zum Priester geweiht.

1934—1936 führte Karl Rahner das Studium der Philosophie in Freiburg i. Br. weiter. Zu seinen Lehrern gehörten Martin Heidegger und Erik Wolf. Seine Dissertation, später unter dem Titel „Geist in Welt" veröffentlicht, wurde von dem neuscholastischen Philosophen Martin Honecker nicht angenommen. Karl Rahner wandte sich danach wieder der Theologie zu und schloß diese Studien 1936 in Innsbruck mit einer unveröffentlichten Dissertation „Die Kirche aus dem Herzen Christi" ab; am 19. 12. 1936 wurde er an der Theologischen Fakultät der Universität Innsbruck zum Doktor der Theologie promoviert. Die gleiche Fakultät habilitierte ihn nach österreichischem Recht auf Grund früher veröffentlichter Studien am 1. 7. 1937 für katholische Dogmatik. Dissertation und Habilitation waren Arbeiten auf den Gebieten der Patristik und der Dogmengeschichte. Karl Rahner gehörte damit 1937 bis 1964 der gleichen Fakultät an wie sein Bruder Hugo Rahner (1900 bis 1968), der Ordinarius für alte Kirchengeschichte und Patrologie war.

Nach der deutschen Besetzung Österreichs wurde die Theologische Fakultät in Innsbruck geschlossen; im Oktober 1939 wurde Karl Rahner aus Tirol ausgewiesen. Er fand Aufnahme im Seelsorgeinstitut des Prälaten Karl Rudolf in Wien, von wo aus er eine umfangreiche Lehrtätigkeit (mit Vortragsreisen nach Sachsen, Thüringen, Rheinland usw.) entwickelte. Das Institut leistete dem Nationalsozialismus Widerstand, und Karl Rahner unterstützte aktiv vom Regime verfolgte Personen. 1944—1945 war er Seelsorger in Mariakirchen in Niederbayern. Von dieser praktischen kirchlichen Arbeit her war seine wissenschaftliche Fragestellung fortan bestimmt. Seine Theologie blieb auch stets getragen von seinen Bemühungen um eine christliche Spiritualität in Exerzitienkursen, Predigtreihen und Meditationen.

1945—1948 lehrte Karl Rahner Dogmatik an der Ordenshochschule in Pullach und hielt theologische Kurse im Bildungswerk in München. 1948 kam er an die Theologische Fakultät der Universität Innsbruck zurück, wo er am 30. 6. 1949 ordentlicher Professor für Dogmatik und Dogmengeschichte wurde. 1960 ernannte ihn Johannes XXIII. zum Konsultor der konziliaren Vorbereitungskommission „De sacramentis". An Pfingsten 1962 stellte ihn das damalige römische Offizium unter Vorzensur. Johannes XXIII. äußerte im Sommer 1962 gegenüber dem Direktor der vatikanischen Sternwarte seine Mißbilligung dieser Maßnahme, die auch Gegenstand offizieller Proteste seitens zahlreicher deutscher Universitätslehrer und einiger Bischöfe war. Nachdem Rahner von Kardinal König zu seinem Konzilstheologen und von Johannes XXIII. zum Peritus des Konzils ernannt worden war, wurde die Maßnahme aufgehoben. Er war Mitarbeiter mehrerer Kommissionen und Subkommissionen des Konzils, insbesondere für die beiden dogmatischen Konstitutionen und für die Pastoralkonstitution. Nach Abschluß des Konzils wurde er Konsultor mehrerer nachkonziliarer Kommissionen bzw. Sekretariate.

Karl Rahner ist Gründungsmitglied der Paulus-Gesellschaft, die seit 1962 an die Öffentlichkeit trat, und zusammen mit Edward Schillebeeckx Gründer der internationalen theologischen Zeitschrift „Concilium", die seit 1965 erscheint. Nach 1945, besonders aber nach dem Konzil nahm Rahner eine ausgedehnte Vortragstätigkeit auf, die ihn durch ganz Europa, auch durch die sozialistischen Länder, und nach Nordamerika führte. Hier ist nicht der Ort, um die theologisch-wissenschaftlichen Leistungen Karl Rahners zu würdigen. Einige von ihnen, wie die Konzeption der Enzyklopädien „Lexikon für Theologie und Kirche" und „Sacramentum Mundi" oder des „Handbuchs der Pastoraltheologie", wird man schon heute als epochal bezeichnen dürfen. Für die Beachtung, die seinem Werk entgegengebracht wird, sprechen auch die hohen Auflagezahlen: Seine „Schriften zur Theologie" sind allein in der deutschen Ausgabe in über 125 000 Exemplaren verbreitet, das „Kleine Theologische Wörterbuch" in über 90 000 Exemplaren.

Am 25. 3. 1964 wurde er als Nachfolger Romano Guardinis ordentlicher Professor für christliche Weltanschauung und Religionsphilosophie an der Universität München. Einer außergewöhnlichen Berufung folgend, wurde er am 1. 4. 1967 Ordinarius für Dogmatik und Dogmengeschichte an der Theologischen Fakultät der Universität Münster in Westfalen. 1967 war er Mitgründer der „Internationalen DIALOG Zeitschrift", die seit 1968 erscheint.

Schließlich seien noch einige bedeutende Ehrungen Karl Rahners genannt. 1964 erhielt er das Ehrenzeichen der Landesregierung Tirol, das Ehrendoktorat der Theologischen Fakultät der Universität Münster in Westfalen und das Ehrendoktorat der Universität Strasbourg. 1965 verlieh ihm die Stadt Pforzheim auf Vorschlag der Heidelberger Akademie der Wissenschaften den Reuchlin-Preis für Verdienste um die Förderung des Humanismus heute. 1966 erhielt er das Ehrendoktorat der Juristischen Fakultät der Notre Dame University, 1967 das Ehrendoktorat der Juristischen Fakultät der Saint Louis University (USA).

Eine erste bio- und bibliographische Studie über Karl Rahner von H. Vorgrimler (1962) erschien in sieben Sprachen. Der III. Band des internationalen Werkes „Bilanz der Theologie im 20. Jahrhundert" (Herder — Casterman) wird ein bis zur Gegenwart weitergeführtes, umfassend angelegtes Porträt Karl Rahners von Karl Lehmann bringen.

Luzern, am 5. März 1969 *Herbert Vorgrimler*

INHALT

Einleitung 5

A. BIBLIOGRAPHIE

I. Chronologische Übersicht eigener Publikationen 9
II. Herausgeber 99
III. Auseinandersetzung mit K. Rahner 100
IV. Interviews und Biographisches 102
V. Festschrift 103

B. ANALYTISCHER AUFRISS DER SCHRIFTEN KARL RAHNERS

I. Allgemeine Dogmatik 105
II. Spezielle Dogmatik 107
III. Praktische Theologie 109
IV. Theologie des geistlichen Lebens 110

A. BIBLIOGRAPHIE

I. CHRONOLOGISCHE ÜBERSICHT EIGENER PUBLIKATIONEN

Bücher und selbständig erschienene Aufsätze sind durch *Kursivdruck,* Übersetzungen in andere Sprachen durch einen kleinen Kreis (°), Rezensionen durch ein vorgestelltes R kenntlich gemacht. Längere Beiträge in Handbüchern wurden der präziseren Zitation in der systematischen Übersicht wegen aufgegliedert. Abkürzungen sind die des *Lexikons für Theologie und Kirche (Freiburg i. Br. ²1957—1967).*

1924

1 Warum uns das Beten not tut: Leuchtturm 18 (1924—25) 10—11.

1932

2 Le début d'une doctrine des cinq sens spirituels chez Origène: RAM 13 (1932) 113—145.

1933

3 Die geistliche Lehre des Evagrius Ponticus. In ihren Grundzügen dargestellt: ZAM 8 (1933) 21—38.
4 La doctrine des „sens spirituels" au Moyen-Âge. En particulier chez St-Bonaventure: RAM 14 (1933) 263—299.

1934

5 Der Begriff der ecstasis bei Bonaventura: ZAM 9 (1934) 1—19.
6 „Cœur de Jésus" chez Origène?: RAM 14 (1934) 171—174.
7 Vom Sinn der häufigen Andachtsbeicht: ZAM 9 (1934) 323—336.

1935

8 Über die Gnade des Gebetes in der Gesellschaft Jesu: Mitteilungen aus den deutschen Provinzen SJ 13 (1935) 399—411.

9 R.: Behn, S., Einleitung in die Metaphysik (Freiburg i. Br. 1933): Scholastik 10 (1935) 456—457.
10 Zum Fest der Verklärung des Herrn (6. August): Kirchen-Anzeiger St. Michael (München) 6 (1935) Nr. 32 (4.—11. 8. 1935) 130—131.
11 Zum 28. August (Fest des hl. Augustinus): Kirchen-Anzeiger St. Michael (München) 6 (1935) Nr. 35 (25. 8. — 1. 9. 35) 142—143.
12 Von den Engeln: Kirchen-Anzeiger St. Michael (München) 6 (1935) Nr. 36 (1.—8. 9. 35) 146—147.

1936

13 R.: Honecker, M., Der Lichtbegriff in der Abstraktionslehre des Thomas von Aquin. Eine ideengeschichtliche Studie: PhJ 48 (1935) 268—288: Scholastik 11 (1936) 118—119.
14 R.: Goetz, W., Intuition in der Geschichtswissenschaft (Sitzungsberichte der Bayer. Akad. d. Wiss., Phil.-hist. Abt. 1935, H. 5): Scholastik 11 (1936) 453—454.
15 R.: Buchheim, K., Wahrheit und Geschichte (Leipzig 1935): Scholastik 11 (1936) 454.
16 Weihe des Laien zur Seelsorge: ZAM 11 (1936) 21—34.
17 Eucharistie und Leiden: ZAM 11 (1936) 224—234.
18 Die protestantische Christologie der Gegenwart: Theologie der Zeit 1 (1936) 189—202.
19 Sünde als Gnadenverlust in der frühchristlichen Literatur: ZKTh 60 (1936) 471—510.

1937

20 R.: Straubinger, H., Lehrbuch der Fundamentaltheologie (Paderborn 1936): ZKTh 61 (1937) 143.
21 R.: Vellico, A. M., La rivelazione e le sue fonti nel „De praescriptione haereticorum" di Tertulliano (Lateranum, Nova Series I, 4) (Rom 1935): ZKTh 61 (1937) 144.
22 R.: El Concepto de la Tradición en S. Vicente de Lerins. Estudio histórico-crítico del „Conmonitorio" por el P. José Madoz S. J. (Analecta Gregoriana 5) (Rom 1933): ZKTh 61 (1937) 144.
23 R.: El Conmonitorio de San Vicente de Lerins. Traducción castellana con comentario y precedida de una Introducción por el P. José Madoz S. J. (Madrid 1935): ZKTh 61 (1937) 144.
24 R.: Caietanus, Thomas de Vio, Cardinalis, De comparatione auctoritatis Papae et Concilii cum Apologia eiusdem tractatus (Scripta theologica I). Vincentius M. Jacobus Pollet editionem curavit (Rom 1936): ZKTh 61 (1937) 145.
25 R.: Desgrippes, G., Études sur Pascal. De l'automatisme à la foi (Cours et documents de philosophie, Collection publiée sous la direction d'Yves Simon) (Paris o. J.): ZKTh 61 (1937) 145.

26 R.: Gößmann, F., Der Kirchenbegriff bei Wladimir Solovjeff (Das östliche Christentum, Abhandlungen im Auftrag der „Arbeitsgemeinschaft der Deutschen Augustinerordensprovinz zum Studium der Ostkirche", hrsg. von G. Wunderle, Heft 1) (Würzburg 1936): ZKTh 61 (1937) 146.

27 R.: Maritain, J., Religion und Kultur. Aus dem Französischen übertragen von J. Niederehe. Mit einer Einführung von R. Grosche (Freiburg i. Br. 1936): ZKTh 61 (1937) 148.

28 R.: Machen, J. Gr., The Christian Faith in the Modern World (New York 1936): ZKTh 61 (1937) 148.

29 R.: Schröder, Chr. M., Rasse und Religion. Eine rassen- und religionswissenschaftliche Untersuchung (München 1937): ZKTh 61 (1937) 282 bis 287.

30 R.: Katholische Christenfibel (Veröffentl. des Instituts für neuzeitliche Volksbildungsarbeit, hrsg. von J. Pieper und H. Raskop) (Köln 1936): ZKTh 61 (1937) 308.

31 R.: Marsili, S., Giovanni Cassiano ed Evagrio Pontico. Dottrina sulla carità e contemplazione (Studia Anselmiana 5) (Rom 1936): ZKTh 61 (1937) 310—311.

32 R.: Hessen, J., Wertphilosophie (Paderborn 1937): ZKTh 61 (1937) 615 bis 624.

33 Gott meines Lebens: Korrespondenzblatt des PGV im Canisianum zu Innsbruck 58 (1937) 8—13.

34 Gott meiner Sendung: ebd. 23—27.

35 Gott meiner Gebete: ebd. 38—41.

36 Gott meines Alltags: ebd. 54—58.

37 Gott unseres Herrn Jesus Christus: ebd. 70—74.

38 Gott der Gesetze: ebd. 87—92.

39 Gott der Erkenntnis: ebd. 102—105.

40 Gott der Lebendigen: ebd. 119—122.

41 Gott meiner Brüder: ebd. 135—139.

42 Gott, der da kommen soll: ebd. 152—156.

43 Die ignatianische Mystik der Weltfreudigkeit: ZAM 12 (1937) 121—137.

44 A felebaráti szeretet szentsége (= Sakrament der Nächstenliebe): Utunk (Budapest) 3 (1937) Nr. 8 (1. 4. 37) 13—14.

45 Freunde Gottes: Katholische Kirchenzeitung (Salzburg) 77 (1937) Nr. 35 (26. 8. 37) 274.

46 De termino aliquo in theologia Clementis Alexandrini, qui aequivalet nostro conceptui entis „supernaturalis": Gr 18 (1937) 428—431.

47 Ein messalianisches Fragment über die Taufe: ZKTh 61 (1937) 258—271.

48 Religionsphilosophie und Theologie: G. Baumgartner, Die 7. Salzburger Hochschulwochen (Salzburg 1937) 24—32.

49 R.: Dörr, Fr., Diadochus von Photike und die Messalianer. Ein Kampf zwischen wahrer und falscher Mystik im fünften Jahrhundert (Freiburger Theol. Studien 47) (Freiburg i. Br. 1937): ZKTh 62 (1938) 291 bis 292.

50 R.: Florilegium Patristicum ed. B. Geyer et J. Zellinger (Fasc. IX: Textus antenicaeni ad Primatum Romanum spectantes ed. H. Vogels) (Bonn 1937); — (Fasc. XLII: Monumenta de viduis, diaconissis virginibusque tractantia, collegit, notis et prolegomenis instruxit J. Mayer) (Bonn 1938); — (Suppl. I: Carmen ad Flavium Felicem de resurrectione mortuorum et de iudicio Domini, recensuit, prolegomenis, commentario, indicibus instruxit J. H. Waszink) (Bonn 1937): ZKTh 62 (1938) 421—422.

51 R.: Der Glaube der Kirche in den Urkunden der Lehrverkündigung, hrsg. von J. Neuner und H. Roos (Regensburg 1938): ZKTh 62 (1938) 423.

52 R.: Das Zeugnis der Väter. Ein Quellenbuch zur Dogmatik, ausgewählt und übertragen von L. v. Rudloff (Regensburg 1937): ZKTh 62 (1938) 423—424.

53 R.: Altaner, B., Patrologie (Freiburg i. Br. 1938): ZKTh 62 (1938) 424 bis 425.

54 R.: Steidle, B., Patrologia seu historia antiquae litteraturae ecclesiasticae scholarum usui accommodata (Freiburg 1937): ZKTH 62 (1938) 425.

55 R.: Ignatius von Antiochien, Die Briefe. Aus dem Griech. übertragen und eingeleitet von A. Winterswyl (Freiburg i. Br 1938): ZKTh 62 (1938) 425.

56 R.: Thomas More, Die Briefe aus dem Gefängnisse. Übertragen und eingeleitet von K. Schmidthüs (Freiburg i. Br. 1938): ZKTh 62 (1938) 425.

57 R.: J. H. Newman, Die Einheit der Kirche und die Mannigfaltigkeit ihrer Ämter. Übertragen von K. Schmidthüs. Mit einem Vorwort von J. Edmonds (Freiburg i. Br. 1938): ZKTh 62 (1938) 425.

58 R.: Nikolaus Gogol, Betrachtungen über die göttliche Liturgie. Ins Deutsche übertragen von R. v. Walter. Mit einem Nachwort von L. Kobilinski-Ellis: Die Macht des Weinens und des Lachens. Zur Seelengeschichte Nikolaus Gogols (Freiburg i. Br. 1938): ZKTh 62 (1938) 425.

59 R.: Augustinus, Gott ist die Liebe. Die Predigten des heiligen Augustinus über den ersten Johannesbrief. Übersetzt und eingeleitet von F. Hofmann (Freiburg i. Br. 1938): ZKTh 62 (1938) 425.

60 R.: Opuscula duo de doctrina Baiana, ed. H. Lennerz (Textus et Documenta. Series Theol. 24) (Rom 1938): ZKTh 62 (1938) 585.

61 R.: Platz, Ph., Der Römerbrief in der Gnadenlehre Augustins (Cassiciacum 5) (Würzburg 1938): ZKTh 62 (1938) 585.

62 R.: Descoqs, P., Le mystère de notre élévation surnaturelle (Paris 1938): ZKTh 62 (1938) 585—586.

63 R.: Boyer, C., Tractatus de gratia divina (Rom 1938): ZKTh 62 (1938) 586—587.

64 R.: Philippe, P., Le rôle de l'amitié dans la vie chrétienne selon S. Thomas d'Aquin (Rom 1938): ZKTh 62 (1938) 587.

65 R.: C. Smits, O. Sagaert, W. Lampen, M. Soens, Natuur en Bovennatuur (Collectanea Franciscana Neerlandica III, 7) ('s Hertogenbosch 1937): ZKTh 62 (1938) 587.

66 R.: McKugo, Th. J., De relatione inter caritatem Augustinianam et gratiam actualem (Mundelein [Illinois/USA] 1936): ZKTh 62 (1938) 587—588.

67 R.: Fahey, J. J., Doctrina S. Hieronymi de gratiae divinae necessitate (Mundelein [Illinois/USA] 1937): ZKTh 62 (1938) 588.

68 R.: Primeau, E. J., Doctrina Summae theologicae Alexandri Halensis de Spiritus Sancti apud iustos inhabitatione (Mundelein [Illionis/USA] 1936): ZKTh 62 (1938) 588.

69 R.: Der Katholizismus. Sein Stirb und Werde. Von katholischen Theologen und Laien. Hrsg. von G. Mensching (Leipzig 1937): ZKTh 62 (1938) 109—123.

70 Augustin und der Semipelagianismus: ZKTh 62 (1938) 171—196.

71 Neuer Modernismus?: Schönere Zukunft 13 (1938) 1049—1050; 1083 bis 1085.

72 *Worte ins Schweigen (Innsbruck 1938)* (vgl. Nr. 33—42).

1939

73 Von menschlichen Gesetzen: Seele (München) 21 (1939) 165 (vgl. Nr. 72).

74 R.: Schmaus, M., Katholische Dogmatik, 2. Bd.: Schöpfung und Erlösung (München 1938): ZKTh 63 (1939) 226—229.

75 R.: Diekamp, F., Katholische Dogmatik nach den Grundsätzen des hl. Thomas, 1. Bd. (Münster 1938): ZKTh 63 (1939) 242.

76 R.: Die wichtigsten Glaubensentscheidungen und Glaubensbekenntnisse der katholischen Kirche. Hrsg. von Rudolf Pfeil (Freiburg i. Br. 1938): ZKTh 63 (1939) 242.

77 R.: Adam, K., Jesus Christus (Augsburg [5]1938): ZKTh 63 (1939) 242.

78 R.: Lieske, A., Die Theologie der Logosmystik bei Origenes (Münster 1938): ZKTh 63 (1939) 244—245.

79 R.: Schnitzler, Th., Im Kampf um Chalcedon. Geschichte und Inhalt des Codex Enzyclicus von 458 (Rom 1938): ZKTh 63 (1939) 245—246.

80 R.: Gómez de Castro, M., Die Trinitätslehre des hl. Gregor von Nyssa (Freiburg i. Br. 1938): ZKTh 63 (1939) 247—248.

81 R.: de Lubac, H., Catholicisme. Les aspects sociaux du dogme (Paris 1938): ZKTh 63 (1939) 443—444.

82 R.: Quinti Septimi Florentis Tertulliani Apologeticum secundum utramque libri recensionem edidit Henricus Hoppe (Wien 1939): ZKTh 63 (1939) 447.

83 R.: Stolz, A., De sanctissima Trinitate (Freiburg i. Br. 1939): ZKTh 63 (1939) 447.

84 R.: Spreckelmayer, H., Die philosophische Deutung des Sündenfalls bei Franz Baader (Würzburg 1938): ZKTh 63 (1939) 447.

85 Zur scholastischen Begrifflichkeit der ungeschaffenen Gnade: ZKTh 63 (1939) 137—156.

86 Laienheiligkeit im christlichen Altertum: StdZ 135 (1939) 234—251.

87 Einführung zu: L. Welsersheimb, Kirchenväter an Laien (Zeugen des Wortes 20) (Freiburg i. Br. 1939) 1—17.

88 *Geist in Welt.* Zur Metaphysik der endlichen Erkenntnis bei Thomas von Aquin *(Innsbruck 1939).*

89 *Aszese und Mystik in der Väterzeit* (M. Viller - K. Rahner) *(Freiburg i. Br. 1939).*

1940

90 Introduction au concept de Philosophie Existentiale chez Heidegger: RSR 30 (1940) 152—171.

91 R.: Der Katholizismus der Zukunft. Aufbau und kritische Abwehr. Hrsg. von H. Mulert (Leipzig 1940): ZKTh 64 (1940) 149—152.

92 R.: Doctrina duodecim Apostolorum. Barnabae Epistola. Recensuit, vertit, adnotavit Theodorus Klauser (Bonn 1940): ZKTh 64 (1940) 155.

93 R.: Koepgen, G., Die Gnosis des Christentums (Salzburg 1939): ZKTh 64 (1940) 155.

94 R.: Scheeben, M., Briefe nach Rom. Hrsg. von H. Schauf und A. Eröss (Freiburg i. Br. 1939): ZKTh 64 (1940) 155.

95 R.: Diekamp, F., Katholische Dogmatik nach den Grundsätzen des hl. Thomas, 2. Bd. (Münster 1939): ZKTh 64 (1940) 155.

96 R.: Dessauer, Ph., Der Anfang und das Ende. Eine religiöse und theologische Betrachtung zur Heilsgeschichte (Leipzig 1939): ZKTh 64 (1940) 157—158.

97 R.: Volk, H., Emil Brunners Lehre von der ursprünglichen Gottebenbildlichkeit des Menschen (Emsdetten 1939): ZKTh 64 (1940) 158.

98 R.: Erdin, F., Das Wort Hypostasis. Seine bedeutungsgeschichtliche Entwicklung in der altchristlichen Literatur bis zum Abschluß der trinitarischen Auseinandersetzungen (Freiburg i. Br. 1939): ZKTh 64 (1940) 159—160.

99 R.: Poschmann, B., Paenitentia secunda. Die kirchliche Buße im ältesten Christentum bis Cyprian und Origenes (Bonn 1940): ZKTh 64 (1940) 161—162.

100 R.: Koenen, J., Die Bußlehre Richard Hookers. Der Versuch einer anglikanischen Bußdisziplin (Freiburg i. Br. 1940): ZKTh 64 (1940) 162.

101 Gnosis des Christentums. Zur theologischen Erkenntnislehre des gleichnamigen Buches von G. Koepgen: Scholastik 15 (1940) 1—15.

102 *Worte ins Schweigen (Innsbruck [2]1940)* (vgl. Nr. 72).

1941

103 R.: Heinisch, P., Theologie des Alten Testamentes (Bonn 1940): ZKTh 65 (1941) 44.

104 R.: Schmaus, M., Katholische Dogmatik, 3. Bd. (München 1940): ZKTh 65 (1941) 48.

105 R.: Guardini, R., Welt und Person. Versuche zur christlichen Lehre vom Menschen (Würzburg 1939) ZKTh 65 (1941) 50.

106 R.: Ries, J., Die natürliche Gotteserkenntnis in der Theologie der Krisis im Zusammenhang mit dem Imagobegriff bei Calvin (Bonn 1939): ZKTh 65 (1941) 50.

107 R.: Fries, A., Urgerechtigkeit, Fall und Erbsünde nach Präpositin von Cremona und Wilhelm von Auxerre (Freiburg i. Br. 1940): ZKTh 65 (1941) 50.

108 R.: Kuhaupt, H., Die Formalursache der Gotteskindschaft (Münster 1940): ZKTh 65 (1941) 53.

109 R.: Fleischmann, A., Die Gnadenlehre des Wilhelm Estius und ihre Stellung zum Bajanismus (Regensburg 1940): ZKTh 65 (1941) 53—54.

110 R.: Schreyer, L., Bildnis des Heiligen Geistes. Ein Schaubuch und Lesebuch (Freiburg i. Br. 1940): ZKTh 65 (1941) 54.

111 R.: Marx, B., Procliana. Untersuchungen über den homiletischen Nachlaß des Patriarchen Proklos von Konstantinopel (Münster 1940): ZKTh 65 (1941) 54.

112 Zum theologischen Begriff der Konkupiszenz: ZKTh 65 (1941) 61—80.

113 *Hörer des Wortes.* Zur Grundlegung einer Religionsphilosophie *(München 1941).*

1942

114 R.: Theologische Gegenwartsfragen, hrsg. von E. Schlund (Regensburg 1942): ZKTh 66 (1942) 53—54.

115 R.: Hoffmann, F., Die erste Kritik des Ockhamismus durch den Oxforder Kanzler Johannes Lutterel nach der Hs. CCV der Bibliothek des Prager Metropolitankapitels (Breslau 1941): ZKTh 66 (1942) 54.

116 R.: de Pérez, J., La cristología en los Símbolos Toledanos IV, VI, XI (Rom 1939): ZKTh 66 (1942) 54—55.

117 R.: di Sciascio, F., Fulgenzio di Ruspe. Un grande discepolo di Agostino contro le „reliquiae Pelagianae pravitatis" nei suoi epigoni (Rom 1941): ZKTh 66 (1942) 57—58.

118 R.: Müller, O., Die Rechtfertigungslehre nominalistischer Reformationsgegner. Bartholomäus Arnoldi von Usingen und Kaspar Schatzgeyer über Erbsünde, erste Rechtfertigung und Taufe (Breslau 1940): ZKTh 66 (1942) 58—59.

119 R.: Schauf, H., Die Einwohnung des Heiligen Geistes. Die Lehre von der nichtappropriierten Einwohnung des Heiligen Geistes als Beitrag zur Theologiegeschichte des 19. Jh. unter besonderer Berücksichtigung der

beiden Theologen C. Passaglia und Cl. Schrader (Freiburg i. Br. 1941): ZKTh 66 (1942) 59.

120 R.: v. Balthasar, H. U., „Die Gnostischen Centurien" des Maximus Confessor (Freiburg i. Br. 1941): ZKTh 66 (1942) 153—154.

121 R.: v. Balthasar, H. U., Kosmische Liturgie. Maximus der Bekenner: Höhe und Krise des griechischen Weltbilds (Freiburg i. Br. 1941): ZKTh 66 (1942) 154—155.

122 R.: Loosen, J., Logos und Pneuma im begnadeten Menschen bei Maximus Confessor (Münster 1941): ZKTh 66 (1942) 155—156.

123 Über die Verkündigungstheologie. Eine kritisch-systematische Literaturübersicht: Pazmanita Tudósitó (Dunaszerdahely, Ungarn) 16 (1941—42) 3—10.

124 „Gott" als erste trinitarische Person im Neuen Testament: ZKTh 66 (1942) 71—88.

125 Priesterliche Existenz: ZAM 17 (1942) 155—171.

1943

126 Der Pfarrer: K. Borgmann, Parochia (Kolmar 1942) 20—27.

1944

127 Über das Problem des Stufenweges zur christlichen Vollendung: ZAM 19 (1944) 65—78.

1946

128 Der Einzelne in der Kirche: StdZ 139 (1946) 260—276.

1947

129 Die Kirche der Sünder: StdZ 140 (1947) 163—177.

130 Unser Osterglaube: Klerusblatt (München) 27 (1947) 52.

131 Geist der Wandlung: Klerusblatt (München) 27 (1947) 75—76.

132 Die Zugehörigkeit zur Kirche nach der Lehre der Enzyklika Pius' XII. *Mystici Corporis Christi:* ZKTh 69 (1947) 129—160.

133 Geistliches Abendgespräch über den Schlaf, das Gebet und andere Dinge: Wort und Wahrheit 2 (1947) 449—462.

134 Können wir noch heilig werden?: GuL 20 (1947) 81—88.

135 Geheimnis des Herzens: GuL 20 (1947) 161—165.

136 Zur Frage nach dem Wesen des Priestertums: GuL 20 (1947) 309—312.

137 Über Privatoffenbarungen: Münch. kath. Kirchenzeitung 40 (1947) Nr. 49 (7. 12. 47) 352.

138 Über Privatoffenbarungen: Klerusblatt (Salzburg) 80 (1947) 208—209.

139 *Worte ins Schweigen (Innsbruck [3]1947)* (vgl. Nr. 72, 102).

1948

140 *J. Neuner - H. Roos, Der Glaube der Kirche in den Urkunden der Lehr*verkündigung, hrsg. von K. Rahner *(Regensburg ²1948).*

141 Der prophetische Mensch und die Kirche: Münch. kath. Kirchenzeitung 41 (1948) 40.

142 Herr, lehre uns beten (Fastenpredigten): Chrysologus 1947—48 (Werkheft 1) 124—170.

143 Ateinantis Dievas (= Gott, der da kommen soll): Naujasis Gyvenimas (Augsburg) 11—12 (1947) 162—164 (vgl. Nr. 72).

144 Meine Nacht kennt keine Finsternis: GuL 21 (1948) 1—5.

145 Probleme heutiger Mariologie: Aus der Theologie der Zeit. Hrsg. von G. Söhngen (Regensburg 1948) 85—113.

146 *Der Pfarrer (Wien 1948).*

147 Friedliche Erwägungen über das Pfarrprinzip: ZKTh 70 (1948) 169—198.

148 Über Visionen und verwandte Erscheinungen: GuL 21 (1948) 179—213.

149 Über die religiöse Weihe: GuL 21 (1948) 407—418.

150 *Die Kirche der Sünder (Freiburg i. Br. 1948)* (vgl. Nr. 129, 151).

151 *Die Kirche der Sünder (Wien 1948)* (vgl. Nr. 129).

152 Die Sündenvergebung nach der Taufe in der Regula fidei des Irenäus: ZKTh 70 (1948) 450—455.

153 Der Gesetzesbegriff in der christlichen Offenbarung (Trialog zwischen K. Rahner, L. Soukup, G. Molin): Bericht der Alpbacher Tagung von 1948 (Innsbruck 1948) 247—254.

154 *Worte ins Schweigen (Innsbruck ⁴1948)* (vgl. Nr. 72, 102, 139).

155 R.: Adam, K., Una Sancta in katholischer Sicht (Düsseldorf 1948): Wort und Wahrheit 3 (1948) 959—961.

156 Natur und Übernatur: Leuchtturm—Jahrbuch 1948 (Köln 1948) 101—104.

157 Friedliche Erwägungen über das „Pfarrprinzip“: Pfarrgemeinde und Pfarrgottesdienst, hrsg. von A. Kirchgässner (Freiburg i. Br. 1948) 8—37 (vgl. Nr. 147).

1949

158 Zur Theologie des Todes: Synopsis (Hamburg) 3 (1949) 87—112.

159 Der Gestaltwandel der Häresie: Wort und Wahrheit 4 (1949) 881—891.

160 Der Appell an das Gewissen. Situationsethik und Sündenmystik: Wort und Wahrheit 4 (1949) 721—734.

161 Les révélations privées: Mélanges M. Viller: RAM 25 (1949) 506—514.

162 Das Gericht des Menschensohnes: Der Volksbote (Innsbruck) 49 (1949) Nr. 47 (24. 11. 49) 12.

163 Advent des Glaubens: Der Volksbote (Innsbruck) 49 (1949) Nr. 47 (1. 12. 49) 12.

164 Das Heilige Jahr: Der Große Entschluß (Wien) 5 (1949) 65—66.

165 Die Geduld mit dem Vorläufigen: Der Volksbote (Innsbruck) 49 (1949) Nr. 47 (8. 12. 49) 12.

166 Das Ärgernis der Heilsgeschichte: Der Volksbote (Innsbruck) 49 (1949) Nr. 50 (15. 12. 49) 12.

167 Die große Freude: Der Volksbote (Innsbruck) 49 (1949) Nr. 51 (22. 12. 49) 1.

168 Im Namen Jesu: Der Volksbote (Innsbruck) 49 (1949) Nr. 52 (29. 12. 49) 12.

169 Der graue Alltag: Die Quelle (Feldkirch) 3 (1949) 252.

170 *Heilige Stunde und Passionsandacht (Innsbruck 1949)* (unter Pseudonym Anselm Trescher).

171 *Von der Not und dem Segen des Gebetes (Innsbruck 1949).*

172 Passion und Aszese. Zur philosophisch-theologischen Grundlegung der christlichen Aszese: GuL 22 (1949) 15—36.

173 R.: Poschmann, B., Der Ablaß im Lichte der Bußgeschichte (Theophaneia 4) (Bonn 1948): ZKTh 71 (1949) 481—490.

174 R.: Söhngen, G., Aus der Theologie der Zeit (Regensburg 1948): ZKTh 71 (1949) 114—115.

175 R.: de Urbina, I. O., El Símbolo Niceno (Madrid 1947): ZKTh 71 (1949) 115.

176 R.: Landgraf, A. M., Einführung in die Geschichte der Theologischen Literatur der Frühscholastik unter dem Gesichtspunkt der Schulenbildung (Regensburg 1948): ZKTh 71 (1949) 115—116.

177 R.: Francisco Suárez en el IV. centenario de su nacimiento: Estudios Eclesiásticos 22 (1948) 147—692: ZKTh 71 (1949) 116.

178 R.: Mendoza, Franciscus Card., De naturali cum Christo unitate (Rom 1948): ZKTh 71 (1949) 116—117.

179 R.: Larnicol C., De Verbo Incarnato et de B. V. Maria (Rom 1948): ZKTh 71 (1949) 118.

180 R.: Ternus J., Der gegenwärtige Stand der Assumptafrage (Regensburg 1948): ZKTh 71 (1949) 118—119.

181 R.: Rondet H., Gratia Christi. Essai d'histoire du dogme et de Théologie dogmatique (Paris 1948): ZKTh 71 (1949) 120—122.

182 Das Gebet der Schuld: GuL 22 (1949) 90—110.

183 Von der seligen Reise des gottsuchenden Menschen. Gedanken zum Fest der Erscheinung des Herrn: GuL 22 (1949) 405—409.

184 Die Adventsfeier: Der Große Entschluß (Wien) 5 (1949) 65—66.

185 *J. Neuner - H. Roos, Der Glaube der Kirche in den Urkunden der Lehrverkündigung (Regensburg ³1949)* (vgl. Nr. 140).

186 *Von der Not und dem Segen des Gebetes (Innsbruck ²1949)* (vgl. Nr. 171).

187 Die vielen Messen und das eine Opfer: ZKTh 71 (1949) 257—317.

1950

188 Ein Weg zur Bestimmung des Verhältnisses von Natur und Gnade: Orientierung 14 (1950) 141—145.

189 Bußlehre und Bußpraxis der Didascalia Apostolorum: ZKTh 72 (1950) 257—281.

190 Das „neue“ Dogma: Wort und Wahrheit 5 (1950) 805—820.

191 Die heilige Familie: Der Volksbote (Innsbruck) 50 (1950) Nr. 1 (5. 5. 50) 12.

192 Mystik der Erde: ebd. 50 (1950) Nr. 2 (12. 1. 50) 13.

193 Die heidnischen Christen und die christlichen Heiden: ebd. 50 (1950) Nr. 3 (19. 1. 50) 12.

194 Das Schiff im Sturm: ebd. 50 (1950) Nr. 4 (26. 1. 50) 12.

195 Das neue Dogma: ebd. 50 (1950) Nr. 44 (5. 11. 50) 5.

196 Das erste Gebot: ebd. 50 (1950) Nr. 38 (24. 9. 50) 13.

197 Ein bedeutsames Dokument: ebd. 50 (1950) Nr. 10 (11. 12. 50) 3—5.

198 Situationsethik und Sündenmystik: StdZ 145 (1950) 329—342.

199 Wie oft soll man die Messe feiern?: Orbis Catholicus (Wien) 3 (1950) 97 bis 100 (Auszug aus Nr. 187).

200 Betrachtungspunkte für Faschingsmontag: Korrespondenzblatt des PGV im Canisianum zu Innsbruck 84 (1950) 90—93.

201 Gespräche über den „Zaun“. Offener Brief an Hans Asmussen: Wort und Wahrheit 5 (1950) 174—184.

202 Geistliches Abendgespräch über den Schlaf, das Gebet und andere Dinge: GuL 23 (1950) 1—13 (vgl. Nr. 133).

203 ○ Multiplication of Masses: Orate Fratres 24 (1950) 553—562 (engl. Teil-Übers. von Nr. 187).

204 Mariens Heimgang: Der Sendbote des Herzens Jesu (Innsbruck) 80 (1950) 184—186.

205 Theos im Neuen Testament: Bijdragen 11 (1950) 211—236 (1. Teil).

206 Gestaltwandel der Häresie: Orbis Catholicus (Wien) 3 (1950) 217—219.

207 La doctrine d'Origène sur la Pénitence: RSR 37 (1950) 47—97, 252 bis 286, 422—456.

208 Das Dogma von der Himmelfahrt Mariens: Die Presse (Wien 1950) Nr. 621 (1. 11. 50) 3—4.

209 R.: Schmaus, M., Katholische Dogmatik (München [3 u. 4]1949): ZKTh 72 (1950) 113.

210 R.: Vrin, J., Assomption de Marie (Paris 1949): ZKTh 72 (1950) 113—115.

211 R.: Galtier, P., De paenitentia, ed. nova (Rom 1950): ZKTh 72 (1950) 116—117.

212 R.: Latko, E. F., Orgien's Concept of Penance (Quebec 1949): ZKTh 72 (1950) 117—118.

213 R.: Satan (Des Études Carmélitaines) (Paris 1948): ZKTh 72 (1950) 118.

214 R.: Müller, M., Existenzphilosophie im geistigen Leben der Gegenwart (Heidelberg 1949): ZKTh 72 (1950) 497.

215 Freue dich, Erde, deines himmlischen Lichtes: GuL 23 (1950) 81—85.

216 *Gefahren im heutigen Katholizismus (Einsiedeln 1950)* (vgl. Nr. 128, 159, 160).

217 *Die vielen Messen und das eine Opfer (Freiburg i. Br. 1951)* (vgl. Nr. 187).
218 ○ *La prière de l'homme moderne (Paris 1951)* (franz. Übers. von Nr. 171).
219 Das neue Dogma und wir: Aufgenommen in den Himmel (Innsbruck 1951) 7—15.
220 *Worte ins Schweigen (Innsbruck [5]1951)* (vgl. Nr. 72, 102, 139, 154).
221 Zum Sinn des neuen Dogmas: Schweizer Rundschau 50 (1951) 585—596.
222 Theos im Neuen Testament: Bijdragen 12 (1951) 24—52 (2. Teil) (vgl. Nr. 205).
223 Der Gott, der Liebe sucht: Unsere Führerin (Zürich) 6 (1951) 208.
224 Zum Hirtenbrief des Bischofs D. May: Der Seelsorger 21 (1951) 170—172.
225 ○ *Kerk der Zondaren (Antwerpen 1951)* (niederländ. Übers. von Nr. 129).
226 *Das „neue" Dogma (Wien 1951)* (vgl. Nr. 190).
227 ○ The Church of Sinners: Cross Currents 3 (1951) 64—74 (engl. Übers. von Nr. 129).
228 Die Gegenwartsbedeutung der Marianischen Kongregation: Unsere Herrin (Wien) 2 (1951) 4—10.
229 Öffentliche Meinung in der Kirche: Orientierung 50 (1951) 255—258.
230 Seitdem ich euer Bruder wurde . . .: Hochland 44 (1951) 98—102.
231 Seitdem ich euer Bruder wurde . . .: Süddeutsche Zeitung 7 (1951) Nr. 297 (Weihnachten 51) 5.
232 Heilige Nacht: GuL 24 (1951) 401—403.
233 A Verdade em S. Thomâs de Aquino: Rev. Portuguesa de Filos. 7 (1951) 353—370.
234 R.: Das neue Mariendogma im Lichte der Geschichte und im Urteil der Ökumene, hrsg. von F. Heiler (München-Basel 1951): ZKTh 73 (1951) 483—488.
235 R.: Dockx, S. I., Fils de Dieu par grâce (Paris 1948): ZKTh 73 (1951) 111—112.
236 R.: Koster, M. D., Volk Gottes im Wachstum des Glaubens (Heidelberg 1950): ZKTh 73 (1951) 112—113.
237 R.: Maria. Études sur la Sainte Vierge sous la direction d'Hubert du Manoir (Paris 1949): ZKTh 73 (1951) 113.
238 R.: Asmussen, H., Maria die Mutter Gottes (Stuttgart 1950): ZKTh 73 (1951) 114.
239 R.: Asmussen, H., Warum noch Lutherische Kirche? (Stuttgart 1949): ZKTh 73 (1951) 114.
240 R.: Patristische Theologie. Zur Neuauflage von B. Altaners Patrologie: Orientierung 15 (1951) 58—59.
241 Vom Lachen und Weinen des Christen: GuL 34 (1951) 11—17 (vgl. Nr. 200).

1952

242 *Enchiridion Symbolorum* (von H. Denzinger) (28. Aufl. von K. Rahner) *(Freiburg-Barcelona 1952).*

243 R.: Das neue Dogma (Zu Veröffentlichungen von Friedrich Heiler und Hermann Volk): Wort und Wahrheit 7 (1952) 57—59.

244 Thomas von Aquin als Mönch, Theologe, Mystiker: Korrespondenzblatt des PGV im Canisianum zu Innsbruck 86 (1952) 89—93.

245 Priesterweihe-Erneuerung: GuL 25 (1952) 231—234.

246 Krankheit der christlichen Philosophie? Zu dem Beitrag von Thomas Peters in Wort und Wahrheit 7 (1952) 85 ff.: Wort und Wahrheit 7 (1952) 401—402.

247 Botschaft von Pfingsten: StdZ 150 (1952) 161—165.

248 R.: Köster, H. M., Unus Mediator. Gedanken zur marianischen Frage (Limburg 1950): ZKTh 74 (1952) 227—235.

249 R.: Volk, H., Das neue Mariendogma (Münster 1951): Theol. Revue 48 (1952) 100—101.

250 Zur Theologie der Buße bei Tertullian: Abhandlungen über Theologie und Kirche (Festschrift für K. Adam), hrsg. von M. Reding (Düsseldorf 1952) 139—167.

251 Im Vorblick auf Wien: Wort und Wahrheit 7 (1952) 712—714.

252 *Visionen und Prophezeiungen (Innsbruck 1952)* (vgl. Nr. 148).

253 Öffentliche Meinung in der Kirche: Die Kirche in der Welt (Loseblatt-Lexikon) (Münster) 5 (1952) 137—142.

254 Allerheiligen und Allerseelen: GuL 25 (1952) 321—325.

255 *Die Chancen des Christentums heute (Köln [1-2]1952).*

256 Würde und Freiheit des Menschen: Kirche in neuer Zeit (Reden und Erklärungen des Österreichischen Katholikentages 1952) (Innsbruck 1952) 9—43.

257 Die Bußlehre des hl. Cyprian: ZKTh 74 (1952) 257—276, 381—438.

258 Persönliche und sakramentale Frömmigkeit. Theologische Überlegungen über die „geistliche Kommunion" und Ähnliches: GuL 25 (1952) 412—429.

259 *Von der Not und dem Segen des Gebetes (Innsbruck [3]1952)* (vgl. Nr. 171, 186).

260 Seitdem ich euer Bruder wurde ...: St. Konradsblatt (Karlsruhe) 32 (1951) Nr. 51 (vom 21. 12. 1952) 836 (vgl. Nr. 230).

1953

261 Weltgeschichte und Weltmission: Korrespondenzblatt des PGV im Canisianum zu Innsbruck 87 (1953) 73—80.

262 ○ *Prières pour être dans la vérité (Paris 1953)* (franz. Übers. von Nr. 72).

263 Auf verlorenem Posten: Wort und Wahrheit 8 (1953) 165—177.

264 „Siehe dieses Herz“. Prolegomena zu einer Theologie der Herz-Jesu-Verehrung: GuL 26 (1953) 32—38.
265 Gebet vor der Priesterweihe: GuL 26 (1953) 66—69.
266 Schuld und Schuldvergebung: W. Bitter, Angst und Schuld (Stuttgart 1953) 49—61.
267 Von Festen und Geheimnissen (Christi Himmelfahrt, Fronleichnam): GuL 26 (1953) 81—89.
268 Sendung zum Gebet: StdZ 152 (1953) 161—170.
269 Sendung zum Gebet: Münch. kath. Kirchenzeitung 46 (1953) Nr. 28, 371.
270 ○ *Angustia y Salvación (Madrid 1953)* (span. Übers. von Nr. 171).
271 Die ewige Bedeutung der Menschheit Jesu für unser Gottesverhältnis: GuL 26 (1953) 279—288.
272 Die Messe und das Fernsehen: Orientierung 17 (1953) 179—183.
273 Schuld und Schuldvergebung: Anima 8 (1953) 258—272 (vgl. Nr. 266).
274 Vergessene Wahrheiten über das Bußsakrament: GuL 26 (1953) 339—364.
275 ○ L'Église a-t-elle encore ses chances: l'actualité (Paris) Nr. 15 (1. 11. 1953) 29—31 (vgl. Nr. 255).
276 ○ Il cristianesimo sopravivrà?: La Rocca (Assisi) 12 (1953) Nr. 22 (15. 11. 1953) 1—2, 4 (vgl. Nr. 255).
277 Festansprache am Herz-Jesu-Fest: Korrespondenzblatt des PGV im Canisianum zu Innsbruck 88 (1953) 1—10.
278 Auferstehung des Fleisches: StdZ 153 (1953) 81—91.
279 *Das freie Wort in der Kirche. Die Chancen des Christentums (Einsiedeln 1953)* (vgl. Nr. 229, 255).
280 *Enchiridion Symbolorum* (von H. Denzinger) (29. Aufl. von K. Rahner) *(Freiburg-Barcelona 1953)* (vgl. Nr. 242).
281 Über Konversionen: Hochland 46 (1953) 119—126.
282 *Seelsorge und Betrieb (Köln 1953).*
283 Zur Theologie der Entsagung: Orientierung 17 (1953) 252—255.
284 ○ Theologische Zin van de Onthechting door de Praktijk van de evangelische Raden: Tijdschrift voor geestelijk Leven 9 (1953) 480—497 (niederländ. Übers. von Nr. 283).
285 Das Wunder der Weihnacht: Tiroler Nachrichten 9 (1953) Nr. 297 24. 12. 1953) 1.
286 Das marianische Jahr: GuL 26 (1953) 406—413.
287 R.: Suenens, L. J., Theologie des Apostolats der Legion Mariens (Wien 1952): ZKTh 75 (1953) 229—231.
288 R.: Beck, E., Ephraems Hymnen über das Paradies (Rom 1951): ZKTh 75 (1953) 232.
289 R.: Plagnieux, J., Saint Grégoire de Nazianze théologien (Paris 1951): ZKTh 75 (1953) 232.
290 R.: Landgraf, A. M., Dogmengeschichte der Frühscholastik. 1. Teil, Bd. II (Regensburg 1953): ZKTh 75 (1953) 233.
291 R.: Auer, J., Die Entwicklung der Gnadenlehre in der Hochscholastik. 2. Teil (Freiburg i. Br. 1951): ZKTh 75 (1953) 234.

292 R.: Quadrio, G., Il Trattato „De Assumptione B. M. V." dello Pseudo-Agostino e il suo influsso nella Teologia assuntionistica latina (Rom 1951): ZKTh 75 (1953) 234—235.

293 R.: Schillebeeckx, H., De Sacramentele Heilseconomie (Antwerpen 1952): ZKTh 75 (1953) 235—236.

294 R.: Diekamp, F., Katholische Dogmatik, 2. Bd. (Münster [10]1952): ZKTh 75 (1953) 236.

295 R.: Der Mensch in seiner Welt (= Der Große Herder X) (Freiburg i. Br. 1953): ZKTh 75 (1953) 352—354.

296 R.: Alfaro, J., Lo Natural y lo Sobrenatural (Madrid 1953): ZKTh 75 (1953) 495.

297 R.: Ott, L., Grundriß der kath. Dogmatik (Freiburg i. Br. 1952): ZKTh 75 (1953) 497—498.

298 R.: Brinktrine, J., Die Lehre von Gott, 1. Bd. (Paderborn 1953): ZKTh 75 (1953) 498.

299 R.: Gallus, T., Interpretatio Mariologica Protoevangelii posttridentina (Rom 1953): ZKTh 75 (1953) 499.

300 R.: Mitterer, A., Dogma und Biologie der Heiligen Familie (Wien 1952): ZKTh 75 (1953) 500—501.

301 R.: Bläser, P., Rechtfertigungsglaube bei Luther (Münster o. J.): ZKTh 75 (1953) 505.

302 Freiheit in der Kirche: Lebendiges Zeugnis 1 (Paderborn 1953—54) 21—42.

1954

303 Das Marianische Jahr: Kölner Pastoralblatt 6 (1954) 25—32 (vgl. Nr. 286).

304 Die Gegenwart Jesu und seines Lebens: Gottes Wort im Kirchenjahr, hrsg. von B. Willenbrink, 2. Bd. (Würzburg 1954) 11—13.

305 Die Unbefleckte Empfängnis: StdZ 153 (1954) 241—251.

306 Betrieb und Pfarrei: StdZ 153 (1954) 401—412.

307 Die Idee der Ganzheit in der Erziehung: Österr. Pädagog. Warte 42 (1954) 65—69.

308 Zur Frage der Dogmenentwicklung: Wissenschaft und Weltbild (Wien) 7 (1954) 1—14, 94—106.

309 Das Marianische Jahr: Seelsorge in der Zeit (Freiburg) 9 (1954) 33—41 (vgl. Nr. 286).

310 *Kleines Kirchenjahr (München 1954).*

311 Das Feld des Laien: Michael. Kath. Wochenzeitung (Düsseldorf) 12 (1954) Nr. 13 (4. 4. 54) 4.

312 Er ist immer noch unterwegs: Die Österr. Furche 10 (1954) Nr. 16 (17. 4. 54) 1—2.

313 Das Dogma von der Unbefleckten Empfängnis Mariens und unsere Frömmigkeit: GuL 27 (1954) 100—108.

314 Mutter vom guten Rat: Festgabe des Kath. Mädchenschutzverbandes e. V. (Freiburg i. Br. 1954) 5—9.

315 Über das Laienapostolat: Der Große Entschluß (Wien) 9 (1954) 245—250, 282—285, 318—324.

316 Ich glaube die Kirche: Wort und Wahrheit 9 (1954) 329—339.

317 Christi Himmelfahrt: Orientierung 18 (1954) 97—99.

318 Einige Thesen zur Theologie der Herz-Jesu-Verehrung: Cor Salvatoris, hrsg. von J. Stierli (Freiburg i. Br. 1954) 166—199.

319 Theologisches zum Monogenismus: ZKTh 76 (1954) 1—18, 187—223.

320 Antwort an Sepp Meier (Zur Marienverehrung): Der Volksbote (Innsbruck) 54 (1954) Nr. 24 (13. 6. 54) 4.

321 Der Christ und seine ungläubigen Verwandten: GuL 27 (1954) 171—184.

322 Gedanken zur Ausbildung der Theologen: Orientierung 18 (1954) 149—152.

323 *Gefahren im heutigen Katholizismus (Einsiedeln ^{2}1954)* (vgl. Nr. 216).

324 Zur Ausbildung der Theologen. Vermutungen über die einzuschlagende Richtung: Orientierung 18 (1954) 165—168.

325 Marienweihe: die kath. Frau (Augsburg) 7 (1954) Nr. 9 (Sept. 54) 2.

326 Chalkedon — Ende oder Anfang?: Das Konzil von Chalkedon, hrsg. von A. Grillmeier u. H. Bacht, III (Würzburg 1954) 3—49.

327 Der Christ und seine ungläubigen Verwandten: Der christl. Sonntag (Freiburg i. Br.) 6 (1954) Nr. 40 (3. 10. 54) 317—318, Nr. 41 (10. 10. 54) 325 bis 326, Nr. 42 (17. 10. 54) 333—334.

328 Gebet für geistig Schaffende: Der Große Entschluß (Wien) 10 (1954) 9—10.

329 R.: Lackmann, M., Zur reformatorischen Rechtfertigungslehre (Stuttgart 1953): ZKTh 76 (1954) 497.

330 R.: Poschmann, B., Buße und Letzte Ölung (Freiburg i. Br. 1951): ZKTh 76 (1954) 497—498.

331 R.: Vogel, C., La discipline pénitentielle en Gaule (Paris 1952): ZKTh 76 (1954) 498.

332 Das Marianische Jahr: Sodalenbrief der Marian. Kongregation (München) 7 (1954) Nr. 2—3 (März—Mai 54) 12—18 (vgl. Nr. 286).

333 Wissenschaft als Konfession: Wort und Wahrheit 9 (1954) 809—819.

334 ○ Zielzorg en bedrijf: Binnenlands apostolaat (Oegstgeest) 5 (1954) Nr. 3 (Okt. 54) 83—104 (niederländ. Übers. von Nr. 282).

335 Le principe fondamental de la théologie mariale: RSR 42 (1954) 481—522.

336 Die anthropologische Bedeutung des Assumptio-Dogmas: Gloria Dei 9 (1954) 132—139.

337 *Schriften zur Theologie I (Einsiedeln 1954)* (enthält, zum Teil erweitert, chronologisch geordnet folgende Beiträge: Nr. 85, 112, 188, 205, 221, 222, 305, 319, 326, und den unveröffentlichten Beitrag „Über den Versuch eines Aufrisses einer Dogmatik"; insgesamt 10 Beiträge).

338 Beichtprobleme: GuL 27 (1954) 435—445.

339 Über die Erfahrung der Gnade: GuL 27 (1954) 460—462.

340 Theologische Deutung der Position des Christen in der modernen Welt: Bericht der österr.-deutschen Werktagung kath. Publizisten (Köln 1954) 23—32.

341 Pfingstgebet: Offen sei Dein Herz zur Welt, hrsg. von A. Staud-Weth (Innsbruck 1954) 72—74.
342 Leben aus der Gnade: ebd. 212—214.
343 Einführung zu: L. v. Welsersheimb, Kirchenväter an Laien (Freiburg i. Br. [2]1954) 5—21 (vgl. Nr. 87).
344 Zukunftsprognose: Gottes Wort im Kirchenjahr, hrsg. von B. Willenbrink, 3. Bd. (Würzburg 1954) 9—10.
345 Die unwahrscheinliche Wahrheit: Rheinischer Merkur 9 (1954) Nr. 52, 1.
346 *Worte ins Schweigen (Innsbruck [6]1954)* (vgl. Nr. 72, 102, 139, 154, 220).
347 *J. Neuner - H. Roos, Der Glaube der Kirche in den Urkunden der Lehrverkündigung (Regensburg [4]1954)* (vgl. Nr. 140, 185).

1955

348 Nochmals: das eigentliche Apostolat der Laien: Der Große Entschluß (Wien) 10 (1955) 217—221.
349 Öffnung des Herzens: Frau und Beruf (Düsseldorf) 4 (1955) 5.
350 Er ist in uns: Frau und Beruf (Düsseldorf) 4 (1955) 20—21.
351 Die vielen Messen als die vielen Opfer Christi: ZKTh 77 (1955) 94—101.
352 Seht, welch ein Mensch: GuL 28 (1955) 1—3.
353 Das Gebet der Not: Frau und Beruf (Düsseldorf) 4 (1955) 37.
354 Immaculata: Korrespondenzblatt des PGV im Canisianum zu Innsbruck 89 (1955) 80—89.
355 Wachet und betet: Frau und Beruf (Düsseldorf) 4 (1955) 52.
356 *Heilige Stunde und Passionsandacht (Freiburg i. Br. 1955) (vgl. Nr. 170).*
357 Die Messe und das Fernsehen: Apparatur und Glaube (christliche Besinnung, Bd. 8) (Würzburg 1955) 33—47 (vgl. Nr. 272).
358 Begegnungen mit dem Auferstandenen: GuL 28 (1955) 81—86.
359 Christus ist immer noch unterwegs: Deutsches Volksblatt (Stuttgart) 90 (1955) Nr. 82 (9. 4. 55) 1.
360 ° Personal and Sacramental Sanctity: Theology Digest (St. Marys, Kansas) 3 (1955) 93—98 (engl. Teil-Übers. von Nr. 258).
361 Aufschwung des Herzens: Frau und Beruf (Düsseldorf) 4 (1955) 68—69.
362 Mahl der Pilger: Gottes Wort im Kirchenjahr (Würzburg 1955) 19—21.
363 ° *Christendom en kerk in onze tijd (Paris-Brügge 1955)* (niederländ. Übers. von Nr. 255).
364 Den Alltag bestehen: Frau und Beruf (Düsseldorf) 4 (1955) 84.
365 Dogmatische Bemerkungen über die Frage der Konzelebration: MThZ 6 (1955) 81—106.
366 Demütige Einsicht: Frau und Beruf (Düsseldorf) 4 (1955) 100.
367 Arbeitsplatz und Pfarrei: Anima 10 (1955) 180—188 (vgl. Nr. 306).
368 ° Dogmatique de la concélébration: Les questions liturgiques et paroissiales (Bruxelles) 36 (1955) 119—135 (franz. Übers. von Nr. 365).
369 *Von der Not und dem Segen des Gebetes (Innsbruck [4]1955)* (vgl. Nr. 170, 186, 259).

370 Über den Ablaß: StdZ 156 (1955) 343—355.

371 Über die gute Meinung: GuL 26 (1955) 281—298.

372 Gnadenstunden des Lebens: Frau und Beruf (Düsseldorf) 4 (1955) 116.

373 Weihegebete: ebd. 4 (1955) 132—133.

374 Das Bittgebet: ebd. 4 (1955) 148—149.

375 Die Bußlehre im Hirten des Hermas: ZKTh 77 (1955) 385—431.

376 Das Gebet der Entscheidung: Frau und Beruf (Düsseldorf) 4 (1955) 165.

377 Priesterliche Worte an die Priester von heute: Klerusblatt (Salzburg) 88 (1955) Nr. 23 (5. 11. 55) 221—222.

378 Das Dogma der Unbefleckten Empfängis in der Gesamtheilslehre: Maria im Lichte der Glaubenswissenschaft, hrsg. von Abt. Dr. H. Peichl OSB (Wien — München 1955) 37—57.

379 *Schriften zur Theologie II (Einsiedeln 1955)* (enthält, zum Teil erweitert, chronologisch geordnet folgende Beiträge: Nr. 132, 147, 256, 258, 266, 274, 278, 302, 315, 348, 370 und den unveröffentlichten Beitrag: „Über die Frage einer formalen Existentialethik"; insgesamt 11 Beiträge).

380 Die Kirche der Heiligen: StdZ 157 (1955) 81—91.

381 Die unwahrscheinliche Wahrheit: Hausbuch zur Advents- und Weihnachtszeit (Freiburg i. Br. 1955) 108—111.

382 ○ Destino Sacerdotal: Incunable (Salamanca) 55 (1955) Nr. 79 (Okt. 55) 4.

383 Seine Liebe: Frau und Beruf (Düsseldorf) 4 (1955) 180—181.

384 Ignatianische Frömmigkeit und Herz-Jesu-Verehrung: Korrespondenzblatt des PGV im Canisianum zu Innsbruck 90 (1955) 5—17.

385 Gott in Fleisch und Blut. Ein Stück Weihnachtstheologie: Wort und Wahrheit 10 (1955) 887—893.

386 ○ *Destino sacerdotal (Madrid 1955)* (vgl. Nr. 382).

387 Sacerdocio y poesía: Proyección (Granada) 12 (1955) Nr. 7 (Dec. 55) 77—80.

388 Bemerkungen über das Naturgesetz und seine Erkennbarkeit: Orientierung 19 (1955) 239—243.

389 Kirche und Sakramente. Zur theologischen Grundlegung einer Kirchen- und Sakramentenfrömmigkeit: GuL 28 (1955) 434—453.

390 Dienst am Menschen: Aus unserer Arbeit (Deutscher Nationalverband der katholischen Mädchenschutzvereine) (Freiburg i. Br. 1955) (Heft 3) 1—3.

391 Dienst am Menschen: Virgo Mater (München) 25 (1955) Nr. 9 (Sept. 55) 1—4, Nr. 10 (Okt. 55) 1—4.

392 ○ Navidad: Criterio (Buenos Aires) 28 (1955) 888—889 (span. Teilübers. von Nr. 230).

393 *Gefahren im heutigen Katholizismus (Einsiedeln ^{3}1955)* (vgl. Nr. 216, 323).

394 *Das freie Wort in der Kirche (Einsiedeln ^{2}1955)* (vgl. Nr. 279).

395 R.: Aurelius Augustinus, Schriften gegen die Semipelagianer. Gnade und freier Wille, Zurechtweisung und Gnade, übertragen und erläutert von A. Zumkeller (Würzburg 1955): ZKTh 77 (1955) 241—242.

396 R.: Dumeige, G., Richard de Saint-Victor et l'idée de l'amour (Paris 1952): ZKTh 77 (1955) 242.

397 R.: Doucet, V., Commentaires sur les Sentences (Quaracchi 1954): ZKTh 77 (1955) 242.

398 R.: Marlet, Fr. J. M., Grundlinien der calvinischen „Philosophie der Gesetzesidee" als christlicher Transzendentalphilosophie (München 1954): ZKTh 77 (1955) 243—244.

399 *Enchiridion Symbolorum* (von H. Denzinger) (30. Aufl. von K. Rahner) *(Freiburg-Barcelona 1955)* (vgl. Nr. 242, 280).

400 ○ *Visioni e Profezie (Milano 1955)* (ital. Übers. von Nr. 252).

401 ○ De la palabra poetica: Estria (Rom) 7 (1955) 113—118.

402 Maria und das Apostolat: Bericht über die 15. Diözesankonferenz zu Paderborn (19.—22. April 1955) (Paderborn 1955) 16—28.

403 ○ L'Apostolat des Laïcs: NRTh 78 (1956) 2—32 (franz. Übers. von Nr. 315).

404 Über das Verhältnis des Naturgesetzes zur übernatürlichen Gnadenordnung: Orientierung 20 (1956) 8—11.

405 Lachen ist ein schauervoll Geheimnis: Die Allgemeine Sonntagszeitung (Düsseldorf) 1 (1956) Nr. 7 (12. 2. 56) 9.

406 Reflexionen zur Zeit der Krankheit: GuL 29 (1956) 64—67.

407 ○ Enkele theologische stellingen over de H. Hartverering: Hart van de Verlosser, ed. J. Stierli (Den Haag 1956) 140—166 (niederländ. Übers. von Nr. 318).

408 *Heilige Stunde und Passionsandacht (Freiburg i. Br. ²1956)* (vgl. Nr. 342).

409 Anfang der Herrlichkeit: Der Volksbote (Innsbruck) 56 (1956) Nr. 14 (1. 4. 56) 1.

410 ○ *Hora Santa y siete Palabras (Madrid 1956)* (span. Übers. von Nr. 356).

411 Priester und Dichter: Zeit und Stunde, Festschrift für L. v. Ficker (Salzburg 1956) 55—78 (vgl. Nr. 387).

412 Über die Schriftinspiration: ZKTh 78 (1956) 137—168.

413 Bemerkungen zur Theologie der Säkularinstitute: Orientierung 20 (1956) 87—95.

414 Die Kirche als Ort der Geistsendung: GuL 29 (1956) 94—98.

415 Worte zur Primizfeier: Korrespondenzblatt des Collegium Germanicum zu Rom 63 (1956) 26—31.

416 *Maria, Mutter des Herrn (Freiburg i. Br. 1956).*

417 ○ The Fundamental Principle of Mariology: Theology Digest (St. Mary's, Kansas) 4 (1956) 72—78 (vgl. Nr. 335).

418 Der hl. Ignatius und die Englischen Fräulein: 250 Jahre Institut der Englischen Fräulein St. Pölten (St. Pölten 1956) 69—71.

419 Der Mann in der Kirche: Kath. Männerwerk Köln (Köln 1956) 29—45.

420 Buße, christliche: F. König, Religionswissenschaftliches Wörterbuch (Freiburg i. Br. 1956) 142—146.

421 Dogma: ebd. 164.

422 Erbsünde: ebd. 204.

423 *Schriften zur Theologie III (Einsiedeln 1956)* (enthält, zum Teil erweitert, chronologisch geordnet folgende Beiträge: Nr. 7, 16, 17, 43, 125, 127, 133,

172, 245, 264, 268, 271, 281, 283, 313, 318, 321, 333, 338, 339, 371, 380, 385, 411, 429; insgesamt 25 Beiträge).

424 Zur Theologie der Pfarre: Korrespondenzblatt des PGV im Canisianum zu Innsbruck 90 (1956) 182—188.

425 Die Ignatianische Logik der existentiellen Erkenntnis. Über einige theologische Probleme in den Wahlregeln der Exerzitien des heiligen Ignatius: F. Wulf, Ignatius von Loyola (Würzburg 1956) 345—405.

426 ○ Alcune tesi per una teologia del Sacro Cuore di Gesù: Cor Salvatoris, a cura di J. Stierli (Brescia 1956) 145—172 (ital. Übers. von Nr. 318).

427 Theologie in der Welt. Das Lebenswerk Karl Adams: Frankfurter Allgemeine (1956) Nr. 246 (20. 10. 56) 10.

428 Allerheiligen: GuL 29 (1956) 323—326.

429 Vom Trost der Zeit: StdZ 157 (1956) 241—255.

430 ○ *Visiones y Profecías (San Sebastián 1956)* (span. Übers. von Nr. 252).

431 Einige Thesen zur Theologie der Herz-Jesu-Verehrung: Cor Salvatoris, hrsg. von J. Stierli (Freiburg i. Br. ^{2}1956) 166—199 (vgl. Nr. 318).

432 *Enchiridion Symbolorum* (von H. Denzinger) (31. Aufl. von K. Rahner) *(Freiburg-Barcelona 1956)* (vgl. Nr. 242, 280, 399).

433 Über die Auferstehung des Fleisches: Der christliche Sonntag (Freiburg i. Br.) 8 (1956) 381—382.

434 ○ Quelques thèses pour une théologie de la dévotion au Sacré-Cœur: Le Cœur du Sauveur, publ. par J. Stierli (Mülhausen 1956) (franz. Übers. von Nr. 318).

435 Eine ignatianische Grundhaltung. Marginalien über den Gehorsam: StdZ 158 (1956) 253—267.

436 ○ *Tu sei il silenzio (Brescia 1956)* (ital. Übers. von Nr. 72).

437 Zur Theologie der Pfarre: H. Rahner, Die Pfarre (Freiburg i. Br. 1956) 27—39 (vgl. Nr. 424).

438 ○ El apostolado de los laicos: Reconquista (Madrid) 7 (1956) 19—23 (span. Übers. von Nr. 315).

439 Gott in Fleisch und Blut: Der christl. Weg (Solothurn) 2 (1956) Nr. 23.

440 ○ Spiritualité ignatienne et dévotion au Sacré-Cœur: Les Carnets du Sacré-Cœur 13 (1956) 25—43 (franz. Übers. von Nr. 384).

441 ○ *La libertad de palabra en la Iglesia (Buenos Aires 1956)* (span. Übers. von Nr. 279).

442 *Schriften zur Theologie I (Einsiedeln ^{2}1956)* (vgl. Nr. 337).

443 *Schriften zur Theologie II (Einsiedeln ^{2}1956)* (vgl. Nr. 379).

1957

444 Meditation zu Neujahr: StdZ 159 (1957) 241—250.

445 Betrachtungspunkte für Faschingsmontag: Blätter (Wien) 11 (1957) 14 (vgl. Nr. 200).

446 Ihr aber werdet lachen: Monika (Donauwörth) 81 (1957) 18.

447 Über das Lachen: Einigung (Bonn) 4 (1957) Nr. 4 (15. 2. 57) 5, 7.

448 ○ La virilité dans l'église: Documents (Köln-Paris) 12 (1957) 60—76 (franz. Übers. von Nr. 419).

449 Zur Theologie des Todes: ZKTh 79 (1957) 1—44 (vgl. Nr. 158).

450 Der christliche Erzieher in Freiheit und Bindung: Der kath. Erzieher (Bochum) 10 (1957) 125—135.

451 Über die Frömmigkeit des Hochschülers: Der fahrende Skolast (Bozen) 2 (1957) 1—2.

452 Karsamstag: GuL 30 (1957) 81—84.

453 Gebet für geistig Schaffende: Der christliche Sonntag (Freiburg i. Br.) 9 (1957) Nr. 18 (5. 5. 57) 138.

454 ○ The Apostolate of Laymen: Theology Digest (St. Mary's, Kansas) 5 (1957) 73—79 (engl. Übers. von Nr. 315).

455 Prinzipien und Imperative: Wort und Wahrheit 12 (1957) 325—339.

456 Primizpredigt: Korrespondenzblatt des PGV im Canisianum zu Innsbruck 91 (1957) 19—21.

457 Das Charismatische in der Kirche: StdZ 160 (1957) 161—186.

458 ○ *Palabras al silencio (San Sebastián 1957)* (span. Übers. von Nr. 72).

459 *Gott liebt dieses Kind (München 1957).*

460 *Die Gnade wird es vollenden (München 1957).*

461 *Glaubend und liebend (München 1957).*

462 Dogmatische Vorbemerkungen für eine richtige Fragestellung über die Wiedererneuerung des Diakonats: Festschrift für M. Schmaus (München 1957) 135—144.

463 *Schriften zur Theologie III (Einsiedeln [2]1957)* (vgl. Nr. 423).

464 Mariä Himmelfahrt: Schwäbische Zeitung (Leutkirch/Allgäu) 12 (1957) Nr. 187 (15. 8. 57) 5.

465 ○ Some Theses on the Theology of the Devotion: Heart of Saviour, ed. by J. Stierli (New York 1957) 131—155 (engl. Übers. von Nr. 318).

466 *Geist in Welt* (2. Aufl., hrsg. von J. B. Metz) *(München 1957)* (vgl. Nr. 88).

467 ○ *Gegrepen door Jezus' lijden (Ginneken 1957)* (niederländ. Übers. von Nr. 342).

468 ○ *Heure Sainte suivie de Méditation sur la Passion (Brügge 1957)* (franz. Übers. von Nr. 356).

469 Das neue „Lexikon für Theologie und Kirche": Anzeiger für die kath. Geistlichkeit (Freiburg i. Br.) 66 (1957) Nr. 7 (Okt. 57) 200—204.

470 Was ist christliche Aszese?: Hirschberg. Mitteilungen des Bundes Neudeutschland (Würzburg) 10 (1957) 121—125.

425 Die Ignatianische Logik der existentiellen Erkenntnis. Über einige 251—263.

472 ○ A Basic Ignatian Concept. Some Reflections on Obedience: Woodstock Letters 86 (1957) 291—310 (engl. Übers. von Nr. 435).

473 Abendland, II: LThK I (Freiburg i. Br. [2]1957) 15—21.

474 Ablaß, I.-IV.: ebd. 46—53.

475 Abstammung des Menschen, I.: ebd. 81—85.

476 Agnostizismus, II.: ebd. 201—203.
477 Allgegenwart Gottes, I.—III.: Ebd. 350—351.
478 Allmacht Gottes, I.—III.: ebd. 353—355.
479 Altes Testament (als heilsgeschichtliche Periode) I.: ebd. 388—393.
480 Angelologie, I.—III.: ebd. 533—538.
481 Anima naturaliter christiana: ebd. 564—565.
482 Anthropologie, Theologische A., I.—III.: ebd. 618—627.
483 Anthropozentrik: ebd. 632—634.
484 Antichrist, II.: ebd. 635—636.
485 Atheismus, II.—III.: ebd. 983—989.
486 Ätiologie: ebd. 1011—1013.
487 Auferstehung Christi, IV.: ebd. 1038—1041.
488 *Über die Schriftinspiration (Quaest. disp. 1) (Freiburg i. Br. 1957)* (vgl. Nr. 412).
489 Natur und Gnade: Fragen der Theologie heute, hrsg. von J. Feiner, J. Trütsch und F. Böckle (Einsiedeln 1957) 209—230.
490 ○ El Apostolado de los Laicos: Mensaje (Santiago de Chile) 6 (1957) 306—309 (span. Teil-Übers. von Nr. 315).
491 Heilige Nacht: Verbum (Nijmegen) 24 (1957) 434—438.
492 Geistliche Bilanz eines Jahres: GuL 30 (1957) 406—408.
493 *Maria, Mutter des Herrn (Freiburg i. Br. [2]1957)* (vgl. Nr. 416).
494 „Nimm das Kind und seine Mutter". Zur Verehrung des hl. Josef: GuL 30 (1957) 14—22.
495 ○ The Lay Apostolate: Cross Currents 7 (1957) 225—246 (engl. Übers. von Nr. 315).

1958

496 *Ewiges Ja (München 1958).*
497 Primat und Episkopat: StdZ 161 (1958) 321—336.
498 Meßopfer und Jugendaszese: Katechet. Blätter 83 (1958) 69—77.
499 Natur und Gnade: Fragen der Theologie heute, hrsg. v. J. Feiner, J. Trütsch und F. Böckle (Einsiedeln [2]1958) 209—230 (vgl. Nr. 489).
500 *Über die Schriftinspiration (Quaest. disp. 1) (Freiburg i. Br. [2]1958)* (vgl. Nr. 488).
501 Sendung und Mitarbeit des Laien: Militärseelsorge (Bonn) 1—2 (1958) 76 bis 80.
502 *J. Neuner - H. Roos, Der Glaube der Kirche in den Urkunden der Lehrverkündigung (Regensburg [5]1958)* (vgl. Nr. 140, 185, 348).
503 Parresia. Von der Apostolatstugend des Christen. GuL 31 (1958) 1—6.
504 Trost der Zeit: Theologisches Jahrbuch (Leipzig), hrsg. von A. Dänhardt (1958) 21—36 (vgl. Nr. 429).
505 Vergessene Wahrheiten über das Bußsakrament: ebd. (1958) 183—214 (vgl. Nr. 274).
506 ○ *Theologische Verkenningstochten (Haarlem 1958)* (niederl. Teil-Übers. von Nr. 337, 379).

507 Abgestiegen zu der Hölle: Der christl. Sonntag (Freiburg i. Br.) 10 (1958) Nr. 13 (30. 3. 58) 101—102.

508 ○ Il mistero della morte: Digest Religioso (Neapel-Rom) 1 (1958) 40 bis 48 (ital. Teil-Übers. von Nr. 449).

509 Sacramento: Enciclopedia Filosofica IV (Venedig-Rom 1958) 270—272.

510 Christus. Das Herz der Welt: Tag des Herrn (Leipzig) 8 (1958) Nr. 15 bis 16 (19. 4. 58) 57.

511 *Schriften zur Theologie I (Einsiedeln ³1958)* vgl. Nr. 337, 442).

512 *Schriften zur Theologie II (Einsiedeln ³1958)* (vgl. Nr. 379, 443).

513 Der theologische Sinn der Verehrung des Herzens Jesu: Festschrift des Theologischen Konviktes Innsbruck 1858—1958 (Innsbruck 1958) 102—109.

514 Das katholische Verständnis von Sünde und Sündenvergebung im NT und in der Bußpraxis der alten Kirche: Die Sündenvergebung in der Kirche. Ein interkonfessionelles Gespräch (Evangel. Akademie Bad Boll — Kath. Akademie Rottenburg 1958) 33—50.

515 Vom Gottgeheimnis der Ehe: GuL 31 (1958) 107—109.

516 Zur Theologie der Gnade. Bemerkungen zu dem Buch von Hans Küng: „Rechtfertigung": ThQ 138 (1958) 40—77.

517 Der ekklesiologische Aspekt der Sakramente: Festschrift des Verlages Felizian Rauch 1747—1958 (Innsbruck 1958) 69—93.

518 ○ De Man in de Kerk: De Maand (Löwen) 1 (1958) 214—222 (niederländ. Übers. von Nr. 419).

519 ○ Algunas tesis acerca de la devoción al sagrado corazón de Jesús: Cor Salvatoris, ed. J. Stierli (Barcelona 1958) 209—246 (span. Übers. von Nr. 318).

520 Überlegungen zur Dogmenentwicklung: ZKTh 80 (1958) 237—266.

521 Zur Theologie der Menschwerdung: Catholica 12 (1958) 1—16.

522 ○ Ensayo preliminar. Sacerdote y Poeta: J. Blajot, La hora sin tiempo (Barcelona 1958) 9—42 (span. Übers. von Nr. 411).

523 Beschneidung, II.: LThK II (Freiburg i. Br. ²1958) 291.

524 Besessenheit, IV.: ebd. 298—300.

525 Biblische Theologie und Dogmatik: ebd. 449—451.

526 Bußdisziplin, altkirchliche: ebd. 805—815.

527 Buße, II.: ebd. 816—818.

528 Bußsakrament, I.—V.: ebd. 826—838.

529 Das Charismatische in der Kirche: ebd. 1027—1030.

530 Christentum, I.—V.: ebd. 1100—1115.

531 *Von der Not und dem Segen des Gebetes* (Herder-Bücherei Bd. 28) *(Freiburg i. Br. 1958)* (vgl. Nr. 171).

532 Eine Kirche, viele Gaben: Der christl. Sonntag (Freiburg i. Br.) 10 (1958) Nr. 33 (17. 8. 58) 253—254.

533 Den Entscheidungen nicht ausweichen: Der christl. Sonntag (Freiburg i. Br.) 10 (1958) Nr. 38 (21. 9. 58) 290, 292.

534 *Gebete der Einkehr* (zusammen mit H. Rahner) *(Salzburg 1958)*.

535 *Das Dynamische in der Kirche* (Quaest. disp. 5) *(Freiburg i. Br. 1958)* (vgl. Nr. 425, 455, 457).

536 *Visionen und Prophezeiungen* (Quaest. disp. 4) *(Freiburg i. Br. ²1958)* (vgl. Nr. 148, 252).

537 *Zur Theologie des Todes* (Quaest. disp. 2) *(Freiburg i. Br. 1958)* (vgl. Nr. 158, 449).

538 Seelsorge und Betrieb: Kölner Pastoralblatt 11 (1958) 294—303 (vgl. Nr. 282).

539 ○ *Happiness through Prayer (Dublin 1958)* (engl. Übers. von Nr. 171).

540 Wissenschaft als Konfession: Der fahrende Skolast (Bozen) 3 (1958) 1—7 (vgl. Nr. 333).

541 Die Gegenwart Christi im Sakrament des Herrenmahles nach dem katholischen Bekenntnis im Gegenüber zum evangelisch-lutherischen Bekenntnis: Catholica 12 (1958) 109—128.

542 Zur Theologie des Todes: Theologischer Digest (Gars a. Inn) 1 (1958) 205 bis 211 (vgl. Nr. 537).

343 ○ Take the Child and His Mother: Theology Digest (St. Marys, Kansas) 6 (1958) 169—173 (engl. Teil-Übers. von Nr. 494).

544 ○ The Theology of the Parish: H. Rahner (Hrsg.), The Parish, from Theology to Practice (Westminster 1958) (engl. Übers. von Nr. 437).

1959

545 Zur Theologie der Pfarrei: Theologisches Jahrbuch, hrsg. von A. Dänhardt (Leipzig 1959) 250—257 (vgl. Nr. 437).

546 Priesterliche Existenz: ebd. 148—167 (vgl. Nr. 125).

547 ○ Marie et l'Apostolat: Documents A. C. G. H. (Paris 1959) Nr. 21 (Janvier 59) 2—15 (franz. Übers. von Nr. 402).

548 Das Leben der Toten: TThZ 68 (1959) 1—7.

549 ○ *Écrits théologiques I (Paris 1959)* (franz. Übers. von Nr. 337).

550 ○ Vrijheid van spreken in de Kerk: Nederlandse Katholieke Stemmen (Zwolle) 55 (1959) 67—87 (niederländ. Übers. von Nr. 279).

551 ○ Het charismatische en de Kerk: ebd. 88—114 (niederländ. Übers. von Nr. 457).

552 ○ Primado y Episcopado: Orbis Catholicus. Rev. Iberoamericana Internacional (Barcelona) 2 (1959) 321—339 (span. Übers. von Nr. 479).

553 Der Alltag als Einkehrtag: Der christl. Sonntag (Freiburg i. Br.) 11 (1959) Nr. 10 (8. 3. 59) 82.

554 Dämonologie: LThK III (Freiburg i. Br. ²1959) 145—147.

555 Diakon, III.: ebd. 321—322.

556 Diakonenbeichte: ebd. 323—324.

557 Dogma, II., III. B und IV.: ebd. 439—441, 443—446.

558 Dogmatik, I.: ebd. 446—454.

559 Dogmenentwicklung, I.—V.: ebd. 457—463.

560 Doppelte Gerechtigkeit: ebd. 514—515.

561 Dreifaltigkeitsmystik: ebd. 563—564.

562 Einheit: ebd. 749—750.

563 Einheit der Menschheit: ebd. 756—757.

564 Eschatologie, I.—II.: ebd. 1094—1098.

564a Existential: ebd. 1301.

565 Zur Theologie des Symbols: Cor Jesu I, hrsg. von A. Bea, H. Rahner, H. Rondet, F. Schwendimann (Rom 1959) 461—505.

566 Die Frage nach dem Erscheinungsbild des Menschen als Quaestio disputata der Theologie: P. Overhage, Um das Erscheinungsbild des ersten Menschen (Quaest. disp. 7) (Freiburg i. Br. 1959) 11—30.

567 Familie Mensch vom Ursprung her: Pax Christi (Freiburg i. Br.) 11 (1959) 2, 4.

568 Christi Himmelfahrt: Der christl. Sonntag (Freiburg i. Br.) 11 (1959) Nr. 19 (10. 5. 59) 154.

569 Natur und Gnade nach der Lehre der kath. Kirche: Una Sancta 14 (1959) 74—81.

570 Das kleine Lied: Orientierung 23 (1959) 93—94.

571 Erlösungswirklichkeit in der Schöpfungswirklichkeit: Catholica 13 (1959) 100—127.

572 Gottes Wort und der Menschen Bücher: Kölner Pastoralblatt 12 (1959) 144—148, 205—211, 229—231.

573 Arbeit und Freizeit: Oberrheinisches Pastoralblatt 60 (1959) 210—218, 233—243.

574 ○ Primauté et Épiscopat: Rev. Diocésaine de Namur 13 (1959) 178 bis 198 (franz. Übers. von Nr. 497).

473 Er wird wiederkommen: GuL 32 (1959) 81—83.

576 Der Gittarist des lieben Gottes: Der Sonntag (Limburg) 13 (1959) Nr. 18 (3. 5. 59) 9.

577 Danksagung nach der heiligen Messe: GuL 32 (1959) 180—189.

578 ○ Spiritualité Ignatienne et Dévotion au Sacré-Cœur: RAM 35 (1959) 147—166 (franz. Übers. von Nr. 384).

579 Besinnung für Gefangenenhausseelsorger: Der Seelsorger (Wien) 29 (1959) 460—469.

580 *Worte ins Schweigen (Innsbruck ^{7}1959)* (vgl. Nr. 72, 102, 139, 154, 220, 346).

581 Zur Theologie des Todes: Arzt und Christ (Salzburg-Wien) 3 (1959) 140 bis 148.

582 *Sendung und Gnade.* Pastoraltheologische Beiträge *(Innsbruck $^{1 u. 2}$1959)* (enthält, zum Teil erweitert, chronologisch geordnet folgende Beiträge: 126, 277, 306, 322, 324, 340, 357, 384, 390, 402, 413, 415, 419, 435, 451, 462, 497, 498, 571, 572, 577, 579, 603, 639 und den unveröffentlichten Beitrag „Paulus, Apostel heute“; insgesamt 24 Beiträge).

583 Katholische Kirche, I.: Staatslexikon IV, hrsg. von der Görres-Gesellschaft (Freiburg i. Br. ^{6}1959) 858—873.

584 ○ *Dangers dans le Catholicisme d'aujourd'hui (Paris 1959)* (franz. Übers. von Nr. 216).

585 *Von der Not und dem Segen des Gebetes* (Herder-Bücherei Bd. 28) *(Freiburg i. Br. ²1959)* (vgl. Nr. 171, 531).

586 Natur und Gnade nach der Lehre der kath. Kirche: L. Reinisch, Theologie heute (München 1959) 89—102.

587 ○ Natuur en genade: Theologisch Perspectief II (Hilversum 1959) 7 bis 27 (niederländ. Übers. von Nr. 489).

588 ○ *Christendom en Kerk in onze tijd (Brügge ²1959)* (vgl. Nr. 363).

589 Zum Tode verurteilt: Wort und Wahrheit 14 (1959) 653—657.

590 Dogmatische Fragen zur Osterfrömmigkeit: Paschatis Sollemnia (Festschrift für J. A. Jungmann), hrsg. von B. Fischer - J. Wagner (Freiburg i. Br. 1959) 1—12.

591 *Das Geheimnis unseres Christus (München 1959).*

592 R.: J. Hornef, Kommt der Diakon der frühen Kirche wieder? (Wien 1959): ZKTh 81 (1959) 490.

593 *Maria, Mutter des Herrn (Freiburg i. Br. ³1960)* (vgl. Nr. 416, 476).

594 Nachwort zu: Aimé Duval, Chansons (Salzburg 1959) 45—46.

595 Noch einmal: Danksagung nach der heiligen Messe: GuL 32 (1959) 442 bis 448.

596 Meßopfer und Jugendaszese: Eucharistische Erziehung (Düsseldorf 1959) 40—66.

597 *Schriften zur Theologie III (Einsiedeln ³1959)* (vgl. Nr. 423, 463).

598 Schuld und Schuldvergebung: W. Bitter, Angst und Schuld (Stuttgart ²1959) 54—67 (vgl. Nr. 266).

599 ○ *Écrits théologiques I (Paris ²1959)* (vgl. Nr. 532).

600 Über den Begriff des Geheimnisses in der kath. Theologie: Beständiger Aufbruch (Festschrift für E. Przywara), hrsg. von S. Behn (Nürnberg 1959) 181—216.

601 ○ The „Heart" of Christ: Theology Digest (St. Marys, Kansas) 7 (1959) 159.

602 Der Kreuztod unseres Herrn: Korrespondenzblatt des PGV im Canisianum zu Innsbruck 93 (1959) 17—22.

603 Über die Besuchung des Allerheiligsten: GuL 32 (1959) 260—270.

604 ○ *Sprekend tot de Zwijgende (Kasterlee 1959)* (niederländ. Übers. von Nr. 72).

605 ○ *Noodzaak en zegen van het Gebed (Kasterlee 1959)* (niederländ. Übers. von Nr. 171).

606 ○ Enkele theologische Stellingen over de H. Hart-Verering: Hart van de Verlosser, ed. J. Stierli (Tielt ²1959) (vgl. 407).

1960

607 Eine theologische Deutung der Situation des heutigen Christen: Oberrheinisches Pastoralblatt 61 (1960) 2—15.

608 ○ Réflexions théologiques sur l'incarnation: Sciences Eccl. (Montreal) 12 (1960) 5—19 (franz. Übersetzung von Nr. 521).
609 Fegfeuer, III.—V.: LThK IV (Freiburg i. Br. ²1960) 51—55.
610 Fixismus: ebd. 161.
611 Formale und fundamentale Theologie: ebd. 205—206.
612 Freiheit, III.—V.: ebd. 331—336.
613 Gebet, IV.: ebd. 542—545.
614 Geheimnis, II.: ebd. 593—597.
615 Gerechtigkeit Gottes, II.: ebd. 717—718.
616 Gericht, letztes, V.: ebd. 734—736.
617 Gnade, IV.: ebd. 991—1000.
618 Gnadenerfahrung: ebd. 1001—1002.
619 Gnadentheologie: ebd. 1010—1014.
620 Gnosis: ebd. 1019—1021.
621 Gott, V.—VI.: ebd. 1080—1087.
622 Gotteslehre, I.—II.; ebd. 1119—1124.
623 ○ *Free Speech in the Church (New York 1960)* (engl. Übers. von Nr. 279).
624 ○ The Inspiration of Scripture: Theology Digest (St. Marys, Kansas) 8 (1960) 8—12 (engl. Teil-Übers. von Nr. 488).
625 *Das Dynamische in der Kirche (Quaest. disp. 5) (Freiburg i. Br. ²1960)* (vgl. Nr. 535).
626 *Visionen und Prophezeiungen (Quaest. disp. 4) (Freiburg i. Br. ³1960)* (vgl. Nr. 253, 536).
627 Zum heiligen Fest des Anfangs: Korrespondenzblatt des PGV im Canisianum zu Innsbruck 94 (1960) 13—16.
628 ○ Tempo di Penitenza: Humanitas (Brescia) 15 (1960) 165—172.
629 Natur und Gnade nach der Lehre der kath. Kirche: L. Reinisch, Theologie heute (München ²1960) 89—102 (vgl. Nr. 586).
630 ○ *Tu sei il silenzio (Brescia ²1960)* (vgl. Nr. 72).
631 ○ *Écrits théologiques II (Paris 1960)* (franz. Übers. von Nr. 379).
632 *Zur Theologie des Todes* (Quaest. disp. 2) (Freiburg i. Br. ²1960) (vgl. Nr. 537).
633 Die sakramentale Grundlegung des Laienstandes in der Kirche: GuL 33 (1960) 119—132.
634 Überlegungen zur Dogmenentwicklung: Theolog. Jahrbuch (Leipzig), hrsg. von A. Dänhardt (1960) 119—147 (vgl. 520).
635 *Heilige Stunde und Passionsandacht (Freiburg i. Br. ³1960)* (vgl. Nr. 356, 408).
636 *Von der Not und dem Segen des Gebetes* (Herder-Bücherei Bd. 28) *(Freiburg i. Br. ³1960)* (vgl. Nr. 171, 531, 585).
637 ○ *Écrits théologiques II (Paris ²1960)* (vgl. Nr. 631).
638 ○ *Marie mère du Seigneur (Paris 1960)* (franz. Übers. von Nr. 416).
639 Über die heilsgeschichtliche Bedeutung des einzelnen in der Kirche: A. Spitaler, Die Zelle in Kirche und Welt (Graz 1960) 69—109.

640 *Schriften zur Theologie I (Einsiedeln [4]1960)* (vgl. Nr. 337, 442, 511).

641 *Schriften zur Theologie II (Einsiedeln [4]1960)* (vgl. Nr. 379, 443, 641).

642 *Schriften zur Theologie IV (Einsiedeln 1960)* (enthält, zum Teil erweitert, chronologisch geordnet folgende Beiträge: 516, 520, 521, 541, 548, 565, 573, 586, 590, 595, 600, 643, 645, 646, 649, 652, 668; insgesamt 17 Beiträge).

643 Theologie der Macht: Catholica 14 (1960) 178—196.

644 ○ *Encounters with Silence (Westminster/Maryland 1960)* (engl. Übers. von Nr. 72).

645 Virginitas in partu. Ein Beitrag zum Problem der Dogmenentwicklung und Überlieferung: Kirche und Überlieferung, hrsg. von J. Betz - H. Fries (Festschrift für J. R. Geiselmann) (Freiburg i. Br. 1960) 52—80.

646 Theologische Prinzipien der Hermeneutik eschatologischer Aussagen: ZKTh 82 (1960) 137—158.

647 Die Macht des Herzens: Der Sonntag (Limburg) 14 (1960) Nr. 25 (19. 6. 60) 1.

648 Gedanken an Pfingsten: Korrespondenzblatt des PGV im Canisianum zu Innsbruck 94 (1960) 34—40.

649 Wort und Eucharistie: Aktuelle Fragen zur Eucharistie, hrsg. von M. Schmaus (München 1960) 7—52.

650 Über die Wahrhaftigkeit: Katechet. Blätter 85 (1960) 413—416, 468—474, 511—520.

651 Die Armut im Ordensleben in einer veränderten Welt: GuL 33 (1960) 262—290.

652 Kleine Bemerkungen zum dogmatischen Traktat „De trinitate": Universitas I (Festschrift für Bischof A. Stohr) (Mainz 1960) 130—150.

653 Der Anspruch Gottes und der einzelne: Der Christ und die Weltwirklichkeit, hrsg. von K. Rudolf (Wien 1960) 53—64.

654 Vorwort zu: M. Lackmann, Der Protestantismus und das Ökumenische Konzil (Klosterneuburg 1960) 3—5.

655 Häresiengeschichte: LThK V (Freiburg i. Br. [2]1960) 8—11.

656 Heidentum, I.—II.: ebd. 73—76.

657 Heilige Schrift: ebd. 115—119.

658 Heiligkeit (des Menschen), I.—II.: ebd. 130—131.

659 Heiligmachende Gnade, I.—IV.: ebd. 138—142.

660 Heilssorge: ebd. 163—164.

661 Heilswille Gottes, Allgemeiner, I.—IV.: ebd. 165—169.

662 Indiculus: ebd. 648—649.

663 Institutionalismus: ebd. 714—715

664 Irrtumslosigkeit: ebd. 770—771.

665 Jesus Christus, II. B. Systematik der kirchlichen Christologie: ebd. 953 bis 961.

666 Kanon, dogmatisch, B.: ebd. 1283—1284.

667 Das Wort der Dichtung und der Christ: Der kath. Erzieher 13 (1960) 606—614.

668 ○ *Het dichterlijke Woord en de Christen (Hilversum 1960)* (niederländ. Übers. von Nr. 667).

669 ○ *Vizioenen en profetieën (Hilversum 1960)* (niederländ. Übers. von Nr. 518).

670 ○ *Over de inspiratie van de heilige Schrift (Hilversum 1960)* (niederländ. Übers. von Nr. 482).

671 ○ Naturaleza y gracia según la doctrina de la Iglesia católica: L. Reinisch, Teología actual. Diálogo Teológico entre Protestantes y Católicos (Madrid 1960) 123—138 (span. Übers. von Nr. 586).

672 ○ Reflections on Obedience. A Basic Ignatian Concept: Cross Currents 10 (1960) 363—374 (engl. Übers. von Nr. 435)

673 ○ On the Theology of Death: Modern Catholic Thinkers (New York 1960) 138—176 (engl. Übers. von Nr. 449).

674 ○ *Bezinning en Gebed* (zus. mit H. Rahner) *(Den Haag 1960)* (niederländ. Übers. von Nr. 534).

675 ○ La chanson de charme à l'enseigne de Dieu: Choisir (Fribourg-Genève) 7 (1960) 9 (franz. Übers. von Nr. 570).

676 Das Bekenntnis eines Evangelischen. Pastor M. Lackmann: „Der Protestantismus und das Ökumenische Konzil": Der Volksbote (Innsbruck) 60 (1960) Nr. 19 (7. 5. 60) 7.

677 Theologische Anthropologie und moderne Entwicklungslehre: Die evolutive Deutung der menschlichen Leiblichkeit (Naturwissenschaft und Theologie 3) (Freiburg i. Br. 1960) 180—214.

1961

678 *Vom Glauben inmitten der Welt* (Herder-Bücherei Bd. 88) *(Freiburg i. Br. 1961)* (enthält chronologisch geordnet folgende Beiträge: Nr. 133, 316, 321, 333, 339, 380, 387, 429).

679 Über das Geheimnis: StdZ 167 (1961) 241—252.

680 Über die Wahrhaftigkeit: Oberrheinisches Pastoralblatt 62 (1961) 19—22.

681 Über die Schriftinspiration: Theolog. Jahrbuch (Leipzig), hrsg. von A. Dänhardt (1961) 9—39 (vgl. Nr. 412).

682 Danksagung nach der heiligen Messe: ebd. 271—289 (vgl. Nr. 577).

683 ○ *Theological Investigations I (London 1961)* (engl. Übers. von Nr. 337).

684 ○ Esquisse d'une Théologie de la Paroisse: H. Rahner, La Paroisse (Paris 1961) 33—48 (franz. Übers. von Nr. 437).

685 Diskussionsbeiträge in: Geist und Leib in der menschlichen Existenz (Vorträge und Diskussionen gehalten anläßlich der 3. Arbeitstagung des Instituts der Görresgesellschaft für die Begegnung von Naturwissenschaft und Theologie) (Freiburg i. Br. — München 1961) 31—32, 35, 139—140, 142, 182, 195—205, 207—214.

686 Das kleine Lied: Herders Hauskalender für Zeit und Ewigkeit (Freiburg i. Br. 1961) 104—105 (vgl. Nr. 570).

687 Einführung zu: A. Neher, Dein verkannter Bruder. Ein Jude sieht uns Christen (Lebendige Kirche, Freiburg i. Br.) (1961) 3—5.

688 ° Giao-hoi còn may man hay khong: Nguoi cong-Giao Truoc Thoi-Dai (Saigon 1961) 169—204 (vietnames. Übers. von Nr. 255).

689 Heilsmacht und Heilungskraft des Glaubens: GuL 34 (1961) 272—277.

690 ° *Inspiration in the Bible (New York - London 1961)* (engl. Übers. von Nr. 488).

691 ° *On the Theology of Death (New York - London 1961)* (engl. Übers. von Nr. 537).

692 Thesen über das Gebet „im Namen der Kirche": ZKTh 88 (1961) 307 bis 324.

693 Wort und Musik im Raum der Kirche: Der Große Entschluß (Wien) 17 (1961) 34—36.

694 Kirchenfrömmigkeit heute: Schweizerische Kirchenzeitung (Luzern) 129 (1961) Nr. 42 (19. 10. 61) 499—500.

695 ° *Trevas e luz na oração (São Paulo 1961)* (port. Übers. von Nr. 171).

696 Was ist Häresie?: A. Böhm, Häresien der Zeit (Freiburg i. Br. 1961) 9—44.

697 Dogmatische Randbemerkungen zur „Kirchenfrömmigkeit": Sentire Ecclesiam. Das Bewußtsein von der Kirche als gestaltende Kraft der Frömmigkeit (Festschrift für H. Rahner), hrsg. von J. Daniélou - H. Vorgrimler (Freiburg i. Br. 1961) 769—793.

698 Sonntag Tag des Herrn: Statio Orbis. Eucharistischer Weltkongreß München 1961, II (München 1961) 195—197.

699 Katholizismus, I.: LThK VI (Freiburg i. Br. ^{2}1961) 88—89.

700 Katschthaler, Johannes: ebd. 93.

701 Kerygma, II.: ebd. 125—126.

702 Kerygmatische Theologie: ebd. 126.

704 Kirchengliedschaft, II.: ebd. 223—225.

705 Kirchenschatz; ebd. 257.

706 Konzelebration, II.: ebd. 525.

707 Krankensalbung, I. 2.: ebd. 586.

708 Laienbeichte: ebd. 741—742.

709 Laienkelchbewegung, II.: ebd. 746.

710 Lehramt, I.—V.: ebd. 884—890.

711 Letzte Dinge: ebd. 989.

712 Liebe, II. und IV.: ebd. 1031—1032, 1038—1039.

713 Was ist eine dogmatische Aussage?: Catholica 15 (1961) 161—184.

714 Die Messe und das Fernsehen: Universitas (Stuttgart) 16 (1961) 1195 bis 1204 (vgl. Nr. 272).

715 ° Naturaleza y gracia: Panorama de la Teología actual. Publ. por J. Feiner, J. Truetsch y F. Boeckle (Madrid 1961) 271—295 (span. Übers. von Nr. 489).

716 ° The Death of the Christian: Jubilee (St. Paul [Minn.]) (Nov. 1961) 12—15.

717 Das „Gebot" der Liebe unter den anderen Geboten: Wanderwege (Festgabe für I. F. Görres), hrsg. von A. Rosenberg (Paderborn 1961) 129 bis 150.

718 *Kirche u. Sakramente* (Quaest. disp. 10) *(Freiburg i. Br. 1961)* (vgl. Nr. 389).

719 *Sendung und Gnade (Innsbruck [3]1961)* (vgl. Nr. 582).

720 *Kleines Theologisches Wörterbuch* (zus. mit H. Vorgrimler) (Herder-Bücherei Bd. 108—109) *(Freiburg i. Br. 1961).*

721 ○ *On the Theology of Death (New York [2]1961)* (vgl. Nr. 691).

722 Über den Buchautor: Zentralkomitee der Deutschen Katholiken. Arbeitstagung Ettal April 1960 (Paderborn 1961) 226—237.

723 Geleitwort zu: Luciana Frassati, Das Leben Pier Giorgio Frassatis (Freiburg i. Br. 1961) 7—12.

724 Bekennntis zu Christus: Juden, Christen, Deutsche, hrsg. von H. J. Schultz (Stuttgart 1961) 149—158.

725 *J. Neuner - H. Roos, Der Glaube der Kirche in den Urkunden der Lehrverkündigung (Regensburg [6]1961)* (vgl. Nr. 140, 185, 348, 502).

726 ○ The Sacraments, the Layman and the World: Theology Digest (St. Marys, Kansas) 9 (1961) 94—95 (engl. Teil-Übers. von Nr. 633).

727 ○ *Pericoli nel Cattolicesimo d'oggi (Alba 1961)* (ital. Übers. von Nr. 216).

728 ○ *Escritos de Teología I (Madrid 1961)* (span. Übers. von Nr. 337).

729 ○ *Escritos de Teología II (Madrid 1961)* (span. Übers. von Nr. 379).

730 Zum Thomasfest: Korrespondenzblatt des PGV im Canisianum zu Innsbruck 95 (1961) 25—28.

731 Natur als Schöpfung: Der christl. Sonntag (Freiburg i. Br.) 13 (1961) Nr. 29 (16. 7. 61) 229—230.

732 *Zur Theologie des Todes* (Quaest. disp. 2) *(Freiburg i. Br. [3]1961)* (vgl. Nr. 537, 632).

733 Exegese und Dogmatik: Orientierung 25 (1961) 141—144, 157—162.

734 Stellungnahme zu Th. Sartory, Martin Luther in katholischer Sicht (Una Sancta 16 [1961] 38 ff): Una Sancta (Meitingen-Niederaltaich) 16 (1961) 195—196.

735 Exegese und Dogmatik: StdZ 168 (1961) 241—262 (vgl. Nr. 733).

736 *Episkopat und Primat* (zus. mit J. Ratzinger) (Quaest. disp. 11) *(Freiburg i. Br. 1961).*

737 *Das Problem der Hominisation* (zus. mit P. Overhage) (Quaest. disp. 12 bis 13) *(Freiburg i. Br. 1961).*

738 ○ Pour la liberté de discussion: La vie intellectuelle (Signes du Temps) 8—9 (1961) 23—25 (franz. Teil-Übers. von Nr. 733).

739 ○ *Zending en Genade.* 1. Fundamentele problemen van de zielzorg *(Hilversum 1961)* (niederländ. Teil-Übers. von Nr. 582).

740 ○ *Zending en Genade.* 2. Mensen in de Kerk *(Hilversum 1961)* (niederländ. Teil-Übers. von Nr. 582).

741 ○ *Zending en Genade.* 3. Wereldtaak en Sacrament *(Hilversum 1961)* (niederländ Teil-Übers. von Nr. 582).

742 Grundzüge einer katholisch-dogmatischen Interpretation der nichtchristlichen Religionen: Pluralismus, Toleranz und Christenheit: Veröffentlichungen der Abendländischen Akademie e. V. (Nürnberg 1961) 55—74.

743 ○ Het Christendom en de nietchristelijke Godsdiensten: Kerk en Ruimte (Hilversum 1961) 78—95 (niederländ. Übers. von Nr. 742).

744 Himmelfahrt Christi: Korrespondenzblatt des PVG im Canisianum zu Innsbruck 96 (1961) 6—8.

745 Unterwegs zum „neuen Menschen": Wort und Wahrheit 16 (1961) 807 bis 819.

746 ○ Aspekten van de hedendaagse kerkelijke vroomheid: Ruimte (Hilversum) (Dez. 1961) 70—82 (vgl. Nr. 694).

747 ○ *Escritos de Teología III (Madrid 1961)* (span. Übers. von Nr. 423).

748 ○ *Nieuwe Theologische Verkenningstochten (Haarlem 1961)* (niederländ. Teil-Übers. von Nr. 423).

749 Gebetstexte, in: J. Cramer, Mit Ihm (Leipzig 1961) 52, 53, 73, 79, 151, 152, 155, 157, 200, 202, 213, 227 (vgl. Reg.).

750 *Schriften zur Theologie I (Einsiedeln ^{5}1961)* (vgl. Nr. 337, 442, 511, 640).

751 *Schriften zur Theologie II (Einsiedeln ^{5}1961)* (vgl. Nr. 379, 443, 512, 641).

752 *Schriften zur Theologie III (Einsiedeln ^{4}1961)* (vgl. Nr. 423, 463, 597).

753 Die Gegenwart Christi im Sakrament des Herrenmahles nach dem kath. Bekenntnis im Gegenüber zum evangelisch-lutherischen Bekenntnis: Th. Sartory, Die Eucharistie im Verständnis der Konfessionen (Recklinghausen 1961) 330—354 (vgl. Nr. 541).

754 ○ Teología de la Parroquia: H. Rahner, La Parroquia. De la Teoría a la Práctica (San Sebastián 1961) 37—51 (span. Übers. von Nr. 437).

755 ○ *Maria, Moeder van de Heer (Deurne 1961)* (niederländ. Übers. von Nr. 416).

756 *Von der Not und dem Segen des Gebetes* (Herder-Bücherei Bd. 28) *(Freiburg i. Br. ^{4} 1961* (vgl. Nr. 171, 531, 585, 636).

757 ○ Inspiration in the Bible (New York—London ^{2}1961) (vgl. Nr. 690).

1962

758 ○ *Over de Dood (Hilversum 1962)* (niederländ. Übers. von Nr. 537).

759 ○ *Giovedì Santo. Venerdì Santo (Brescia 1962),* (ital. Übers. von Nr. 170).

760 ○ Dogma y Exégesis: Selecciones de teología (Barcelona) 1 (1962) 53—61 (span. Übers. von Nr. 733).

761 ○ *Prayers for Meditation* (zus. mit H. Rahner) *(New York 1962)* (engl. Übers. von Nr. 534).

762 *Maria, Mutter des Herrn (Freiburg ^{4}1962)* (vgl. Nr. 416, 476, 593).

763 Dogmatische Erwägungen über das Wissen und Selbstbewußtsein Christi: TThZ 71 (1962) 65—83.

764 Über das Geheimnis: Theolog. Jahrbuch (Leipzig), hrsg. von A. Dänhardt (1962) 295—305 (vgl. Nr. 679).

765 Zur Theologie des Konzils: StdZ 169 (1962) 321—339.

766 *Kleines Theologisches Wörterbuch* (zus. mit H. Vorgrimler) (Herder-Bücherei Bd. 108—109) *(Freiburg i. Br. ^{2}1962)* (vgl. Nr. 720).

767 ○ *Maria Madre del Signore (Fossano-Cuneo 1962)* (ital. Übers. von Nr. 416).

768 Einführender Essay zu: J. B. Metz, Christliche Anthropozentrik (München 1962) 9—23.

769 ○ Natuur en Genade volgens de leer van de Katholieke Kerk: Brandpunten van de Hedendaagse Theologie (Amsterdam 1962) 96—109 (niederländ. Übers. von Nr. 586).

770 ○ De situatie van de moderne christen theologisch gezien. I. Planetaire situatie: Verbum (Nijmegen) 29 (1962) 199—203 (niederländ. Übers. von Nr. 607).

771 Vorwort zu: Uta Ranke-Heinemann, Der Protestantismus. Wesen und Werden (Essen 1962) 5—9.

772 ○ Over het huidige pluralisme in de geestelijke situatie van de Katholieken en de Kerk: Ruimte (Hilversum) (April 1962) 124—140.

773 ○ Caminando hacia el „nuevo hombre“: Orbis Catholicus, Rev. Iberoamericana Internacional (Barcelona) 5 (1962) 322—341 (span. Übers. von Nr. 745).

774 ○ Exegesis and Dogmatic Theology: Theology Digest (St. Marys, Kansas) 10 (1962) 84—86 (engl. Teil-Übers. von Nr. 733).

775 ○ Theology and Monogenism: ebd. 103—105 (engl. Teil-Übers. von Nr. 319).

776 Meßopfer und Aszese: Eucharistie und Frömmigkeit (Pastoral-Katechet. Hefte 14) (Leipzig 1962) 51—77 (vgl. Nr. 498).

777 Einige Bemerkungen über die Frage der Konversionen: Catholica 16 (1962) 1—19.

778 Eucharistie und alltägliches Leben I: Der Große Entschluß (Wien) 17 (1962) 391—396.

779 ○ Ignatian Spirituality and Devotion to the Sacred Heart: Woodstock Letters 91 (1962) 18—35 (engl. Übers. von Nr. 384).

780 ○ *Meditaties over Feesten en alledaagse Dingen (Hilversum 1962),* (niederländ. Übers. von Nr. 310).

781 ○ The Death of a Christian: Catholic Mind (New York) 60 (1962) 12—16 (vgl. Nr. 732).

782 Auch heute: „Der Geist weht, wo er will“: Die Furche (Wien) 18 (1962) Nr. 23 (9. 6. 1962) 1.

783 Theologie im Neuen Testament: Einsicht und Glaube (Festschrift für G. Söhngen), hrsg. von J. Ratzinger - H. Fries (Freiburg i. Br. 1962) 28—44.

784 Gott der Erkenntnis: Der fahrende Skolast (Bozen) 7 (1962) 9.

785 Löscht den Geist nicht aus: Münch. kath. Kirchenzeitung 55 (1962) Nr. 25 (24. 6. 62).

786 ○ *Mission et grâce I (Paris 1962)* (franz. Teil-Übers. von Nr. 582).

787 ○ Quelques réflexions sur les principes constitutionnels de l'Église: L'Épiscopat et l'Église Universelle, ed. p. Y. Congar - B.-D. Dupuy (Paris 1962) 541—562 (vgl. Nr. 736).

788 Versteckte Häresien in der Kirche: Theologie der Gegenwart (Gars am Inn) 5 (1962) 152—158 (vgl. Nr. 696).

789 De Exegesi et Dogmatica: Verbum Domini 40 (1962) 57—72 (vgl. Nr. 733).

790 Löscht den Geist nicht aus: Der Große Ruf (Wiesbaden) 14 (1962) Nr. 8 (August 62) 146.

791 Über den Begriff des „ius divinum" im katholischen Verständnis: Existenz und Ordnung (Festschrift für Erik Wolf), hrsg. von A. Hollerbach u. a. (Frankfurt a. M. 1962) 62—86.

792 ○ *Escritos de Teología IV* (Madrid 1962) (span. Übers. von Nr. 624).

793 Weltgeschichte und Heilsgeschichte I: Der christl. Erzieher (Stuttgart) (15. 7. 1962) 3—4.

794 Christologie in einer evolutiven Welt: Veröffentlichungen der Paulus-Gesellschaft (Frauenchiemsee 1962) 22—59.

795 Die Theologie der Erneuerung des Diakonats: Diaconia in Christo, hrsg. von K. Rahner - H. Vorgrimler (Quaest. disp. 15—16) (Freiburg i. Br. 1962) 285—324.

796 Schuld und Schuldvergebung: W. Bitter, Angst und Schuld (Stuttgart ^{3}1962) 54—67 (vgl. Nr. 266, 598).

797 *Vom Glauben inmitten der Welt* (Herder-Bücherei Bd. 88) *(Freiburg i. Br. ^{2}1962)* (vgl. Nr. 678).

798 ○ De situatie van de moderne mens theologisch gezien. II, III: Verbum (Nijmegen) 29 (1962) 334—343, 442—449 (vgl. Nr. 770).

799 *Auferstehung des Fleiches (Kevelaer 1962)* (vgl. Nr. 278).

800 ○ Teología del Concilio: Selecciones de Teología (Barcelona) 1 (1962) 3—9 (span. Teil-Übers. von Nr. 765).

801 Über das Latein als Kirchensprache: ZKTh 84 (1962) 257—299.

802 Löscht den Geist nicht aus: Der nächste Schritt. Werkblatt der Kath. Männerbewegung Österreichs (Wien) 9 (1962) Nr. 4 (Sept. 62) 16.

803 ○ In cammino verso „l'uomo nuovo": Humanitas (Brescia) 17 (1962) 739—760 (ital. Übers. von Nr. 745).

804 *Schriften zur Theologie V (Einsiedeln 1962)* (enthält, zum Teil erweitert, chronologisch geordnet folgende Beiträge: 689, 692, 696, 697, 713, 717, 735, 742, 745, 753, 763, 765, 777, 783, 791, 794, 795, 801, 793 mit 863 und 898 und den unveröffentlichten Beitrag „Über die Möglichkeit des Glaubens heute"; insgesamt 19 Beiträge).

805 Der Glaube des Priesters heute: Herder-Korrespondenz (Freiburg i. Br.) 17 (1962/63) 23—27.

806 *Schriften zur Theologie III (Einsiedeln [5]1962)* (vgl. Nr. 423, 463, 597, 752).

807 Der Glaube des Priesters heute: Orientierung 26 (1962) 215—219, 227 bis 231.

808 ○ *L'anno liturgico (Brescia 1962)* (ital. Übers. von Nr. 310).

809 Über den Buchautor: Werke und Jahre (Otto-Müller-Almanach 1937 bis 1962) (Salzburg 1962) 66—86.

810 *Schriften zur Theologie I (Einsiedeln [6]1962)* (vgl. Nr. 337, 442, 511, 640, 750).

811 ○ *The Episcopate and the Primacy* (zus. mit J. Ratzinger) *(New York-London 1962)* (engl. Übers. von Nr. 736).

812 Geheimnis: Handbuch theologischer Grundbegriffe I., hrsg. von H. Fries (München 1962) 447—452.

813 Herz: ebd. 690—697.

814 Inspiration: ebd. 715—725.

815 Angemessenere Kategorien für christliches Selbstverständnis: Deutsche Tagespost (Würzburg) 15 (1962) Nr. 138 (16./17. 11. 62) 10.

816 ○ De Eucharistie en het leven van alle dag: School en Godsdienst (Nijmegen) 16 (1962) 290—322, 362—368 (niederländ. Übers. von Nr. 778, 851).

817 Exegese und Dogmatik: H. Vorgrimler, Exegese und Dogmatik (Mainz 1962) 25—52 (vgl. Nr. 733).

818 Dogmatische Erwägungen über das Wissen und Selbstbewußtsein Christi: ebd. 189—211 (vgl. Nr. 763).

819 Maria, I. B.: LThK VII (Freiburg i. Br. [2]1962) 27—28.

820 Mariologie, I.—IV.: ebd. 84—87.

821 Martyrium, II.: ebd. 136—138.

822 Mensch, IV.: ebd. 287—294.

823 Menschheit Christi: ebd. 301.

824 Metaphysik, VI.: ebd. 366—367.

825 Mitwirkung Gottes: ebd. 502—503.

826 Mönchsbeichte: ebd. 538—539.

827 Monogenismus: ebd. 561—562.

828 Monotheismus, III.: ebd. 569—570.

829 Mysterien des Lebens Jesu: ebd. 721—722.

830 Mystik, VI.: ebd. 743—745.

831 Naturrecht, IV.: ebd. 827—828.

832 Neues Testament (als heilsgeschichtliche Größe), I.: ebd. 899—900.

833 Opfer, V.: ebd. 1174—1175.

834 Einheit, Liebe, Geheimnis: Korrespondenzblatt des PGV im Canisianum zu Innsbruck 97 (1962) 4—15.

835 Zur Primiz: ebd. 24—28.

836 ○ The Problem of Poverty: Sponsa Regis 33 (1962) 311—317, 348 bis 357; 34 (1962) 15—24, 49—57 (engl. Übers. von Nr. 651).

837 Gnade in den Abgründen: Die Zeit (Hamburg) 17 (1962) Nr. 51 (21. 12. 1962) 1.

838 Die Antwort der Stille. Brief an einen Freund: Die Presse (Wien 22. 12. 1962) 17.

839 *Zur Theologie des Buches (Leipzig 1962)* (vgl. Nr. 555).

840 ○ Solitaire parmi les siens: L'Anneau d'or Nr. 108 (Paris) (Nov./Dez. 1962) (franz. Übers. von Nr. 321).

841 ○ Solitaire parmi les siens: Extrait de L'anneau d'or (Paris 1962) 1—14 (vgl. Nr. 321).

842 ○ Vers l'humanité nouvelle: Masses Ouvrières (Paris) (Sept. 1962) 17—40 (franz. Übers. von Nr. 745).

843 ○ *The Episcopate and the Primacy* (zus. mit J. Ratzinger) *(New York—London* [2]1962) (vgl. Nr. 811).

844 ○ *On the Theology of Death (New York* [3]*1962)* (vgl. Nr. 691, 721).

845 ○ Dio nasce nel nostro cuore: Vita nostra (Rom) 15 (1962) Nr. 3 (Dec. 62) 3—5.

846 *Schriften zur Theologie IV (Einsiedeln* [2]*1962)* (vgl. Nr. 642).

847 ○ Iglesia y sacramentos: Selecciones de Teología (Barcelona) 1 (1962) 31—39 (span. Übers. von Nr. 389).

848 Der Unternehmer und die Religion: Vorträge anläßlich der Internationalen Herbsttagung des Wirtschaftsring e. V. Bonn in München (26.—27. 9. 1962) (München 1962) 26—42.

849 *Über die Schriftinspiration* (Quaest. disp. 1) *(Freiburg i. Br.* [3]*1962)* (vgl. Nr. 488, 500).

850 Philosophie und Theologie: Kairos (Salzburg) 4 (1962) 162—169.

851 Eucharistie und alltägliches Leben II.: Der Große Entschluß (Wien) 17 (1962) 440—443 (vgl. Nr. 778).

852 Löscht den Geist nicht aus: Der Volksbote (Innsbruck) 62 (1962) Nr. 23 (9. 6. 62) 2—3.

853 ○ Exegese en Dogmatiek: Nederlandse Katholieke Stemmen (1962) 1—23 (niederländ. Übers. von Nr. 733).

854 ○ *Inspiration in the Bible (Edinburgh - London* [3]*1962)* (vgl. Nr. 690, 757).

855 ○ *La virilità nella Chiesa (Vicenza 1962)* (ital. Übers. von Nr. 419).

856 *Von der Not und dem Segen des Gebetes* (Herder-Bücherei Bd. 28) *(Freiburg i. Br.* [5]*1962)* (vgl. Nr. 531, 585, 636, 756).

857 *Schriften zur Theologie II (Einsiedeln* [6]*1962)* (vgl. Nr. 379, 443, 512, 641, 751).

858 ○ Freedom for Theologians: Perspectives 7 (1962) 12—14.

859 ○ *Marginales sobre la pobreza y la obediencia (Madrid 1962)* (span. Übers. von Nr. 435, 651).

860 Zentralismus der Kirche und Eigenständigkeit der Bischöfe: Festschrift anläßlich des IV. CCV 1962 in Wien (hrsg. vom Vorort im ÖCV Nordgau Wien) 35—39.

861 Der Glaube des Priesters heute: Klerusblatt (München) 43 (1963) 13—16, 26—30 (vgl. Nr. 807).

862 Was ist eine dogmatische Aussage: Pro veritate (Festgabe für Erzbischof Lorenz Jaeger und Bischof Wilhelm Stählin) (Münster 1963) 361—385 (vgl. Nr. 713).

863 Weltgeschichte und Heilsgeschichte II.: Der christl. Erzieher (Stuttgart) (1. 1. 1963) 2—7 (vgl. Nr. 793).

864 ○ *Esegesi e Dogmatica (Brescia 1963)* (ital. Übers. von Nr. 733).

865 ○ *Mary, Mother of the Lord (New York 1963)* (engl. Übers. von Nr. 416).

866 Schrift und Tradition: Das zweite Vatikanische Konzil (Studien und Berichte der Katholischen Akademie in Bayern, Heft 24), hrsg. von K. Forster (Würzburg 1963) 69—91.

867 Den Entscheidungen nicht ausweichen: M. v. Galli - M. Plate, Kraft und Ohnmacht (Festschrift für K. Färber) (Frankfurt a. M. 1963) 84—91.

868 ○ La foi du prêtre aujourd'hui: Prêtre et Apôtre (Paris) 45 (1963) Nr. 515 (15. 1. 63) 3—5 (franz. Teil-Übers. von Nr. 807).

869 Kardinal Beas Rede: Frankfurter Allgemeine Zeitung (1. 2. 1963).

870 „Löscht den Geist nicht aus“: Löscht den Geist nicht aus. Probleme und Imperative des Österr. Katholikentages 1962 (Innsbruck 1963) 15—25.

871 ○ *Nature and Grace (London-New York 1963)* (engl. Übers. von Nr. 472).

872 ○ *Kerk en Sacramenten (Hilversum 1963)* (niederländ. Übers. von Nr. 718).

873 ○ Religious Poverty in a Changing World: Theology Digest (St. Marys, Kansas) 11 (1963) 51—56 (engl. Teil-Übers. von Nr. 651).

874 Die Wirklichkeit Gottes und das heutige Weltbild: Universitas (Stuttgart) 18 (1963) 263—272 (vgl. Nr. 333).

875 Der Priester als Glaubender: Mitteilungen für Seelsorge und Laienarbeit (Mainz) Nr. 4 (April 1963) 45—46.

876 Über das ius divinum des Episkopats: Theolog. Jahrbuch (Leipzig), hrsg. von A. Dänhardt (1963) 325—346 (vgl. Nr. 791).

877 Exegese und Dogmatik: ebd. 325—346 (vgl. Nr. 733).

878 Löscht den Geist nicht aus: Werkblatt des Quickborn (Aalen [Württ.]) 13 (1963) 19—22.

879 Die Glaubensquellen sind unteilbar: Nürnberger Zeitung 160 (1963) Nr. 87 (13. 4. 63) 2.

880 ○ *The Church and the Sacraments (New York-London 1963)* (engl. Übers. von Nr. 718).

881 Schrift und Tradition: Wort und Wahrheit 18 (1963) 269—279.

882 ○ *Espíritu en el mundo.* Metafísica del conocimiento finito según Santo Tomás de Aquino *(Barcelona 1963)* (span. Übers. von Nr. 466).

883 Gebed: School en Godsdienst (Nijmegen) 17 (1963) 149—151.

884 Gedanken zu einer Theologie der Kindheit: GuL 36 (1963) 104—114.

885 Aus den Menschen genommen (An unsere Neupriester): Kirchenbote des Bistums Osnabrück (3. 2. 1963) 65.

886 Das Selbstverständnis der Theologie vor dem Anspruch der Naturwissenschaft: Tagungsbericht der Paulus-Gesellschaft (Salzburg 1963) 79—121.

887 ○ Theology and Secular Learning: Studium. A Forum for Educational Theory and Practice (West Baden, Indiana) 3 (1963) 10—12.

888 Heilige Schrift und Theologie: Handbuch Theolog. Grundbegriffe II, hrsg. von H. Fries (München 1963) 517—525.

889 ○ Prayer in the Name of the Church: Theology Digest (St. Marys, Kansas) 11 (1963) 119—125 (engl. Teil-Übers. von Nr. 692).

890 Kirche — die pfingstliche Stiftung für alle: Nürnberger Zeitung Nr. 21 (1963) (1./2. 6. 63) 2.

891 „Löschet den Geist nicht aus": Klerusblatt (München) 43 (1963) Nr. 11 (1. 6. 63) 204—207.

892 Eine neue Epoche in der Kirche eingeleitet. Der „Übergangspapst" Johannes XXIII. vollzog den Übergang der Kirche in die Zukunft: Der Volksbote (Innsbruck) 63 (1963) Nr. 23 (8. 6. 63) 2.

893 ○ La foi du prêtre aujourd'hui: Evangéliser (Brüssel) 17 (1963) 463—491 (franz. Übers. von Nr. 861).

894 ○ Sobre la ciencia y conciencia de Cristo: Selecciones de Teología (Barcelona) 2 (1963) 140—150 (span. Übers. von Nr. 763).

895 ○ The Priesthood: Jubilee (St. Paul [Minn.]) (April 1963) 8—11.

896 Das trockene Wort Gnade: Kontraste (Freiburg i. Br.) 10 (1963) 16.

897 Über Bischofskonferenzen: StdZ 172 (1963) 267—283.

898 Weltgeschichte und Heilsgeschichte III.: Der christl. Erzieher (Stuttgart) (15. 7. 1963) 1—4 (vgl. Nr. 793, 863).

899 *Kleines Theologisches Wörterbuch* (zus. mit H. Vorgrimler) (Herder-Bücherei Bd. 108—109) *(Freiburg i. Br. ³1963)* (vgl. Nr. 720, 766).

900 ○ *Visions and Prophecies (Edinburgh - London - New York - Montreal 1963)* (engl. Übers. von Nr. 536).

901 *Das Problem der Hominisation* (zus. mit P. Overhage) (Quaest. disp. 12—13) *(Freiburg i. Br. ²1963)* (vgl. Nr. 737).

902 Über die Inspiration der Schrift: Diskussion über die Bibel, hrsg. von L. Klein (Mainz 1963) 7—16.

903 ○ *Lo Dinamico en la Iglesia (Barcelona 1963)* (span. Übers. v. Nr. 535).

904 *Hörer des Wortes.* Zur Grundlegung einer Religionsphilosophie. Neu bearbeitet von J. B. Metz *(München 1963)* (vgl. Nr. 113).

905 Kirche und Parusie Christi: Catholica 17 (1963) 113—128.

906 Papst, III.—IV.: LThK VIII (Freiburg i. Br. ²1963) 44—48.

907 Paradies, III.: ebd. 72.

908 Parusie, II.: ebd. 123—124.

909 Pluralismus: ebd. 566—567.

910 Prädestination, III.: ebd. 668—670.

911 Präexistentianismus: ebd. 674—675.
912 Priester, IV.: ebd. 744—746.
913 Privatoffenbarung: ebd. 772—773.
914 Propheten, III.: ebd. 800—802.
915 Prophezeiung: ebd. 805.
916 Protestantismus, III.: ebd. 827—831.
917 Protoevangelium, II.: ebd. 834.
918 Protologie: ebd. 835—837.
919 Recht, göttliches und menschliches: ebd. 1033.
920 Rechtfertigung, VI.: ebd. 1042—1046.
921 Religion, III.: ebd. 1168—1169.
922 Repräsentation: ebd. 1244—1245.
923 Reservation, I.: ebd. 1248.
924 Über den Episkopat: StdZ 173 (1963) 161—195.
925 *Zur Theologie des Todes* (Quaest. disp. 2) *(Freiburg i. Br. [4]1963)* (vgl. Nr. 537, 632, 732).
926 *Gegenwart des Christentums* (Herder-Bücherei Bd. 161) *(Freiburg i. Br. 1963)* (enthält chronologisch geordnet folgende Beiträge: Nr. 521, 697, 717, 745, 642 und 804 und bisher unveröffentlicht: „Über die Möglichkeit des Glaubens heute"; alle ebenso in Nr. 642 und 804).
927 Vorwort zu: Paul Overhage, Die Evolution des Lebendigen. Das Phänomen (Quaest. disp. 20—21) (Freiburg i. Br. 1963) 5.
928 Dogmatische Fragen des Konzils: Oberrheinisches Pastoralblatt 64 (1963) 234—250.
929 Das Selbstverständnis der Theologie vor dem Anspruch der Naturwissenschaft: Religionsunterricht an höheren Schulen. Zeitschrift des Bundes kath. Religionslehrervereinigungen (Sonderheft) (Düsseldorf 1963) 1—28 (vgl. Nr. 886).
930 Die Einheit von Geist und Materie im christlichen Glaubensverständnis: ebd. 29—47.
931 ○ Sobre la teología del Concilio: Orbis Catholicus (Revista Iberoamericana internacional) (Barcelona 1963) 373—395 (span. Übers. von Nr. 765).
932 Wagnis oder Trägheit? Die Kirche und die geistige Situation der Gegenwart: Universitas (Stuttgart) 18 (1963) 1209—1215.
933 Theologie im Neuen Testament: Einsicht und Glaube (Festschrift für G. Söhngen), hrsg. von J. Ratzinger - H. Fries (Freiburg i. Br. [2]1963) 28—44 (vgl. Nr. 853).
934 ○ *The Episcopate and the Primacy* (zus. mit J. Ratzinger) *(New York - London [3]1963)* (vgl. Nr. 811, 843).
935 ○ *Inspiration in the Bible (New York - London [4]1963)* (vgl. Nr. 690, 757, 854)
936 ○ Christianity and Non-Christian Religions: The Church, ed. by American Students of the Canisianum Innsbruck (New York 1963) 112—135 (engl. Übers. von Nr. 742).

937 ○ Leadership in the Church: ebd. 40—43.

938 ○ N'étouffez pas l'esprit: Choisir 10 (1963) 20—22.

939 ○ *Blust de Geest niet uit (Hilversum-Antwerpen 1963)* (niederländ. Übers. von Nr. 870).

940 *Kirche und Sakramente* (Quaest. disp. 10) *(Freiburg i. Br. ^{2}1963)* (vgl. Nr. 718).

941 *Worte ins Schweigen (Innsbruck ^{8}1963)* (vgl. Nr. 72, 102, 139, 154, 220, 346, 580).

942 ○ *Mission and Grace I (New York-London 1963)* (engl. Teil-Übers. von Nr. 582).

943 ○ *Écrits Théologiques III (Paris 1963)* (franz. Übers. von Nr. 423).

944 ○ *The Christian Commitment (London-New York 1963)* (engl. Übers. von Nr. 797).

945 Gerecht und Sünder zugleich: Geist und Leben 36 (1963) 434—443.

946 Die Weihe an Maria in den Marianischen Kongregationen: Quatrième Centenaire des Congrégations Mariales (Rom 1963) 57—82 (mit franz. Zusammenfassung).

947 Die Weihe an Maria in den Marianischen Kongregationen: Die Sendung 16 (1963) 161—170 (gekürzte Fassung von Nr. 946).

948 Die Weihe an Maria: Porträt (Wien) Nr. 4 (1963) 51—52 (gekürzte Fassung von Nr. 946).

949 ○ La fe del sacerdote hoy: Selecciones de Teología 2 (1963) 253—262 (span. Teil-Übers. von Nr. 807).

950 Das Konzil selbst gibt Zeugnis für die Kollegialität: Der Volksbote (Innsbruck) 63 (1963) v. 21. 12. 1963, S. 3—4.

951 *Episkopat und Primat* (zus. mit J. Ratzinger) (Quaest. disp. 11) *(Freiburg i. Br. ^{2}1963)* (vgl. Nr. 736).

952 Freie Gewissensentscheidung und katholischer Christ: Gesellschaftspolitische Kommentare 10 (1963) Nr. 7, S. 82—83.

953 Natur und Gnade nach der Lehre der kath. Kirche: L. Reinisch, Theologie heute (München ^{3}1963) 209—230 (vgl. Nr. 586, 629).

954 ○ *Encounters with Silence (Westminster/Maryland ^{2}1963)* (vgl. Nr. 644).

955 ○ *Mary, Mother of the Lord (New York ^{2}1963)* (vgl. Nr. 865).

956 ○ *On the Theology of Death (New York ^{4}1963)* (vgl. Nr. 691, 721, 844).

957 ○ *Visions and Prophecies (New York ^{2}1963)* (vgl. Nr. 900).

958 ○ *La Fede in mezzo al Mondo (Alba 1963)* (italienische Übers. von Nr. 678).

959 ○ Exegese en Dogmatiek: H. Vorgrimler, Exegese en Dogmatiek (Bilthoven 1963) 25—54 (niederländ. Übers. von Nr. 817).

960 ○ Dogmatische Beschouwingen over de Kennis en het Zelfbewustzijn van Christus: ebd. 189—211 (niederländ. Übers. von Nr. 818).

961 ○ *Mission et grâce II (Paris 1963)* (franz. Teil-Übers. von Nr. 582).

962 ○ *Escritos de Teología I (Madrid ^{2}1963)* (vgl. Nr. 728).

963 ○ *Escritos de Teología II (Madrid ²1963)* (vgl. Nr. 729).

964 ○ *Escritos de Teología III (Madrid ²1963)* (vgl. Nr. 747).

965 Zur Theologie des Konzils: Vaticanum Secundum, hrsg. von O. Müller (Leipzig 1963) 9—28 (vgl. Nr. 765).

966 ○ Marginalien über den Gehorsam: Znak Nr. 108/1963 (poln. Übers. von Nr. 435).

967 ○ Über das Schema „De Ecclesia“: Znak Nr. 114/1963 (poln. Übers. von Nr. 928).

968 *Schriften zur Theologie IV (Einsiedeln ³1963)* (vgl. Nr. 642, 846).

969 ○ *The Church and the Sacraments (New York ²1963)* (vgl. Nr. 880).

970 ○ Latin as Church Language: Clergy Monthly 27 (1963) 95—99 (engl. Übers. von Nr. 801).

971 ○ The Church a Monarchy?: Perspectives 8 (1963) 164—167 (engl. Teil-Übers. von Nr. 736).

972 ○ *Theological Investigations II: Man in the Church (Baltimore 1963)* (engl. Übers. von Nr. 379).

973 ○ Vorwort zu: U. Ranke-Heinemann, Het Protestantisme (Brügge—Utrecht 1963) 7—11 (niederl. Übers. von Nr. 771).

974 Den Entscheidungen nicht ausweichen: Mann in der Kirche (Frankfurt) 20 (1963) 121—123 (vgl. Nr. 867).

975 ○ *On the Theology of Death (New York ⁵1963)* (vgl. Nr. 691, 721, 844, 956).

1964

976 Kleines Fragment „Über die kollektive Findung der Wahrheit“: EPIMELEIA (Festschrift zum 65. Geburtstag von Helmut Kuhn), hrsg. von F. Wiedmann (München 1964) 61—67.

977 Die zweite Konzilsperiode: Oberrheinisches Pastoralblatt (Karlsruhe) 65 (1964) 68—82.

978 Über die Evangelischen Räte: Geist und Leben 37 (1964) 17—37.

979 Die Weihe an Maria: Unsere Herrin 14 (1964) 69—70 (vgl. Nr. 946).

980 ○ Las conferencias episcopales: Orbis catholicus 7 (1964) 112—131 (span. Übers. von Nr. 897).

981 ○ *Necessità e Benedizione della Preghiera (Brescia 1964)* (ital. Übers. von Nr. 171).

982 Kleine Bemerkungen zum dogmatischen Traktat „De Trinitate“: Theologisches Jahrbuch, hrsg. von A. Dänhardt (Leipzig 1964) 97—120 (vgl. Nr. 652).

983 Gerecht und Sünder zugleich: Pastoralblatt für die Diözesen Aachen, Essen und Köln 16 (1964) 66—75 (vgl. Nr. 945).

984 Mut und Nüchternheit auf dem Konzil: Orientierung (Zürich) 28 (1964) 40—42 (gekürzte Fassung von Nr. 977).

985 *Von der Not und dem Segen des Gebetes* (Herder-Bücherei Bd. 28) *(Freiburg i. Br. [6]1964)* (vgl. Nr. 171, 531, 585, 636, 756, 856).

986 ○ *Nature and Grace (London - New York [2]1964)* (vgl. Nr. 871).

987 ○ *Prières pour Jours de Récollection* (zus. mit H. Rahner) *(Paris 1964)* (franz. Übers. von Nr. 534).

988 ○ No extingais el espíritu: Selecciones de Teología 3 (1964) 49—50 (span. Teil-Übers. von Nr. 870).

989 ○ Conferencias episcopales: ebd. 59—63 (span. Teil-Übers. von Nr. 897).

990 Über den Episkopat: W. Stählin u. a., Das Amt der Einheit (Stuttgart 1964) 245—311 (vgl. Nr. 924).

991 ○ *Mary, Mother of the Lord (New York [3]1964)* (vgl. Nr. 865, 955).

992 ○ *On the Theology of Death (New York [6]1964)* (vgl. Nr. 691, 721, 844, 956, 975).

993 ○ *The Church and the Sacraments (New York [3]1964)* (vgl. Nr. 880, 969).

994 ○ Scripture and Tradition: Theology Digest 12 (1964) 3—7 (engl. Teil-Übers. von Nr. 881).

995 Die Wirklichkeit Gottes und das heutige Weltbild: Führung und Bildung in der heutigen Welt (Festschrift K. G. Kiesinger) (Stuttgart 1964) 164 bis 172 (vgl. Nr. 874).

996 ○ *La Libertà di Parola nella Chiesa (Turin 1964)* (ital. Übers. von Nr. 354).

997 Selbstbesinnung der Kirche: J. Ch. Hampe, Ende der Gegenreformation? (Stuttgart-Mainz 1964) 147—155.

998 Grenzen der Kirche: Wort und Wahrheit 19 (1964) 249—262.

999 ○ The Faith of the Priest Today: Woodstock Letters (Woodstock, USA) 93 (1964) 3—10 (engl. Übers. von Nr. 807).

1000 ○ *On Heresy (London 1964)* (engl. Übers. von Nr. 696).

1001 Zur konziliaren Mariologie: StdZ 174 (1964) 87—101.

1002 ○ Pensamientos para una Teología de la infancia: Selecciones de Teología 3 (1964) 142—148 (span. Teil-Übers. von Nr. 884).

1003 Begriffsbestimmung der Herz-Jesu-Andacht im Lichte der theologischen Synthesis: Sesiones de Estudio del Primer Congreso internacional sobre el culto al sagrado corazón de Jesús (Barcelona 1964) 49—57; ebd. 58—66 span. Übers.

1004 ○ *Éléments de Théologie spirituelle* (Collection Christus 15) *(Paris 1964)* (franz. Teil-Ausgabe von Nr. 943).

1005 *Kleines Theologisches Wörterbuch* (zus. mit H. Vorgrimler) (Herder-Bücherei Bd. 108—109) *(Freiburg i. Br. [4]1964)* (vgl. Nr. 720, 766, 899).

1006 Die Weihe an Maria in den Marianischen Kongregationen: Unsere Seelsorge (Münster) 15 (1964) 4—12 (vgl. Nr. 947).

1007 ○ Philosophy and Theology: Theology Digest 12 (1964) 119—122 (engl. Teil-Übers. von Nr. 850).

1008 ○ *The Dynamic Element in the Church* (Quaest. disp. 12) *(New York-London 1964)* (engl. Übers. von Nr. 535).

1009 ○ *Continuiteit & verandering: Evolutie in Wereld en Kerk* (Pastorele Cahiers 15) *(Hilversum - Antwerpen 1964)* (niederländ. Teil-Übers. von Nr. 804).

1010 ○ *Continuiteit & verandering: Geloven thans* (Pastorele Cahiers 16) *(Hilversum - Antwerpen 1964)* (niederländ. Teil-Übers. von Nr. 804).

1011 ○ *Continuiteit & verandering: Structuurvragen in de Kerk* (Pastorele Cahiers 17) *(Hilversum - Antwerpen 1964)* (niederländ. Teil-Übers. von Nr. 804).

1012 ○ Aquinas: The Nature of Truth: Continuum 2 (1964) 60—72 (vgl. Nr. 233).

1013 Über die Inspiration der Schrift: Diskussion über die Bibel, hrsg. von L. Klein (Mainz ^{2}1964) 7—16 (vgl. Nr. 902).

1014 ○ *Missione e grazia (Rom 1964)* (ital. Übers. von Nr. 582).

1015 ○ Maria e l'apostolato: La Madre di Dio 31 (1964) Nr. 7, S. 8 (ital. Übers. von Nr. 402).

1016 Den Entscheidungen nicht ausweichen: Der Christ in der neuen Wirklichkeit, hrsg. von F.-H. Ryssel (Frankfurt - Berlin 1964) 134—139 (vgl. Nr. 867).

1017 ○ *La penitenza della Chiesa. Saggi teologici e storici (Rom 1964)* (ital. Übers. von Nr. 152, 189, 250, 257, 274, 338, 375).

1018 Die Antwort der Religionen, hrsg. von G. Szczesny (München 1964) 168 bis 170, 179—181, 189, 194 f., 201—203, 207—208, 215—217, 221 f., 238 bis 240, 252 f., 260 f., 264 f., 276 f., 281 f., 286—288, 293, 301—303, 309 bis 311, 318, 327.

1019 ○ *Il Latino Lingua della Chiesa (Brescia 1964)* (ital. Übers. von Nr. 801).

1020 Sakrament, IV.—V.: LThK IX (Freiburg i. Br. ^{2}1964) 225—230.

1021 Sakramente, alttestamentliche: ebd. 239—240.

1022 Sakramententheologie: ebd. 240—243.

1023 Schöpfungslehre, I.: ebd. 470—474.

1024 Schriftbeweis, II.: ebd. 486—487.

1025 Schriftverständnis, II.: ebd. 495—496.

1026 Schulen, theologische: ebd. 509—512.

1027 Selbstmitteilung Gottes: ebd. 627.

1028 Soteriologie: ebd. 894—897.

1029 Species: ebd. 954—955.

1030 Sternenbewohner, 2.: ebd. 1061—1062.

1031 Stifterreligionen: ebd. 1075.

1032 Sünde, V.: ebd. 1177—1181.

1033 Sündenstrafen: ebd. 1185—1187.

1034 Synergismus: ebd. 1231.

1035 Teilhabe: ebd. 1340—1341.

1036 ○ *Mission et grâce II (Paris ^{2}1964)* (vgl. Nr. 961).

1037 Die Frau in der neuen Situation in der Kirche: Die Frau im Aufbruch der Kirche, hrsg. von M. Schmaus - E. Gößmann (München 1964) 120—145.

1038 *Alltägliche Dinge* (Theol. Meditationen 5) *(Einsiedeln 1964)*.

1039 ○ *Grenzen van de Kerk (Hilversum 1964)* (niederländ. Übers. von Nr. 998).

1040 ○ *Inquiries (New York 1964)* (engl. Übers. von Nr. 488, 536, 718, 736, 1000).

1041 ○ The Human Knowledge and Consciousness of Christ: Theology Digest (St. Marys/Kansas) 12 (1964) 53—55 (engl. Übers. von Nr. 763).

1042 Christologie in einer evolutiven Weltanschauung: Gespräche um Glauben und Wissen. Dokumente der Paulusgesellschaft VI (München 1964) 22 bis 63; Diskussionsbeiträge: 176, 180, 183, 280.

1043 *Geist in Welt. Zur Metaphysik der endlichen Erkenntnis bei Thomas von Aquin (München [3]1964)* (vgl. Nr. 88, 466).

1044 Grundlegung der Pastoraltheologie als praktische Theologie: Ekklesiologische Grundlegung: Handbuch der Pastoraltheologie I (Freiburg i. Br. 1964) 117—118.

1045 Das Grundwesen der Kirche: ebd. 118—120.

1046 Die Kirche als Präsenz der Wahrheit und der Liebe Gottes: ebd. 121—131.

1047 Die formalen Eigentümlichkeiten der Kirche als der Präsenz der Selbstmitteilung Gottes in Wahrheit und Liebe: ebd. 131—143.

1048 Die materiale Grundunterscheidung in der Kirche: Volk Gottes und Hierarchie: ebd. 144—148.

1049 Die Träger des Selbstvollzugs der Kirche: ebd. 149—150.

1050 Die ganze Kirche als Subjekt heilsvermittelnder Tätigkeit: ebd. 151—152.

1051 Die Verschiedenheit der Funktion jedes Gliedes der Kirche: ebd. 152—154.

1052 Amt und freies Charisma: ebd. 154—160.

1053 Die Aufgliederung des einen Amtes in der Kirche: ebd. 160—167.

1054 Bischof und Bistum: ebd. 167—179.

1055 Das Presbyterium und der einzelne Priester: ebd. 179—185.

1056 Die Pfarrei: ebd. 185—189.

1057 Diakonat und Diakon: ebd. 190—192.

1058 Papst und römische Zentralregierung: ebd. 193—215.

1059 Die Grundfunktionen der Kirche: Theologische und pastoral-theologische Vorüberlegungen: ebd. 216—219.

1060 Die Verkündigung des Wortes: ebd. 219—229.

1061 Die Sakramente als Grundfunktion der Kirche: ebd. 323—332.

1062 Die Disziplin der Kirche: Grundsätzliches: ebd. 333—341.

1063 ○ Sodality Act of Consecration: Direction (National Magazine for Sodality Leaders) X (1964) Nr. 6, 17—19 (engl. Übers. von Nr. 947).

1064 Wie konkret ist der Wille zur Einheit?: KNA Sonderdienst 34/35 vom 12. 8. 1964, 7.

1065 Einführung zu: A. Röper, Sind Heiden Christen? Die anonymen Christen (Kevelaer 1964) 3—4.

1066 ○ Vorwort zu: J. B. Metz, Christelijke Mensbetrokkenheid (Hilversum-Antwerpen 1964) 7—21 (niederländ. Übers. von Nr. 768).

1067 *Vom Glauben inmitten der Welt* (Herder-Bücherei Bd. 88) *(Freiburg i. Br. [3]1964)* (vgl. Nr. 678, 797).

1068 ○ *De Verrijzenis van het Vlees (Antwerpen 1964)* (niederländ. Übers. von Nr. 799).

1069 Warum und wie können wir die Heiligen verehren?: GuL 37 (1964) 325—340.

1070 ○ *Bishops: Their Status and Function (London 1964)* (engl. Übers. von Nr. 990).

1071 *Schriften zur Theologie I (Einsiedeln [7]1964)* (vgl. Nr. 337, 442, 511, 640, 750, 810).

1072 ○ *The Eternal Year (Baltimore - Dublin 1964)* (engl. Übers. von Nr. 310).

1073 Über die theoretische Ausbildung künftiger Priester: StdZ 175 (1964) 173—193.

1074 *Schriften zur Theologie II (Einsiedeln [7]1964)* (vgl. Nr. 379, 443, 512, 641, 751, 857).

1075 *Schriften zur Theologie III (Einsiedeln [6]1964)* (vgl. Nr. 423, 463, 597, 752, 806).

1076 ○ *The Church and the Sacraments (New York [4]1964)* (vgl. Nr. 880, 969, 993).

1077 *Schriften zur Theologie IV (Einsiedeln [4]1964)* (vgl. Nr. 642, 846, 968).

1078 Gedanken zu einer Theologie der Kindheit: Jugenddorfzeitung 11 (1964) Nr. 11 (15. 11. 64) 4—7 (vgl. Nr. 884).

1079 Schuld — Verantwortung — Strafe in der Sicht der katholischen Theologie: Schuld — Verantwortung — Strafe im Lichte der Theologie — Jurisprudenz — Soziologie — Medizin und Philosophie, hrsg. von E. R. Frey (Zürich 1964) 151—172.

1080 *Schriften zur Theologie V (Einsiedeln [2]1964)* (vgl. Nr. 804).

1081 ○ Pour une théologie de l'enfance: L'Anneau d'Or Nr. 120 (1964) 428—439 (franz. Übers. von Nr. 884).

1082 Verschenk Dich und Du bist reich. Die Väterlichkeit Gottes als Geheimnis von Weihnachten. Weihnachtsbeilage Spectrum: Presse (Wien) vom 24. 12. 1964, 1.

1083 Hingabe und Distanz. Über das Leben der Frau in der heutigen Zeit: Süddeutsche Zeitung (München) Nr. 308/310 vom 24./26. 12. 1964.

1084 Gedanken zu einer Theologie der Kindheit: Kinderheim 42 (1964) Heft 2, 54—65 (vgl. Nr. 884).

1085 ○ *La Iglesia y los Sacramentos (Barcelona 1964)* (span. Übers. von Nr. 718).

1086 ○ *Theology for Renewal: Bishops, Priests, Laity (New York 1964)* (Engl. Teil-Übers. von Nr. 582).

1087 ○ La condition du laïc: L'Anneau d'Or Nr. 116 (1964) 88—98 (franz. Übers. von Nr. 633).

1088 ○ *L'Episcopato nella Chiesa (Brescia 1964)* (ital. Übers. von Nr. 924).

1089 ○ *Escritos de Teología IV (Madrid [2]1964)* (vgl. Nr. 792).

1090 ○ *Peligros en el Catolicismo actual* (Madrid 1964) (span. Übers. von Nr. 216).

1091 ○ *Missão e graça I: Pastoral em pleno século XX (Petrópolis 1964)* (portug. Teil-Übers. von Nr. 582).

1092 ○ Über die theologische Ausbildung künftiger Priester: Wiez Nr. 3/1964 (poln. Übers. von Nr. 1073).

1093 ○ Das Verhältnis zur apostolischen Aufgabe: Wiez Nr. 7—8/1964 (poln. Übers. von Nr. 315).

1094 ○ *Che cos' è l'eresia* (Brescia 1964) (ital. Übers. von Nr. 696).

1095 ○ *Il comandamento dell'amore* (Brescia 1964) (ital. Übers. von Nr. 717).

1096 Kühnes Bitten: Porträt (Wien) Nr. 5 (1964) Januar, 66.

1097 ○ Religion and the Man: Marriage (St. Meinrad/Ind.) 46 (1964) 6—12 (engl. Übers. von Nr. 419).

1098 ○ How Man Can Revitalize Christianity: Marriage (St. Meinrad/Ind.) 46 (1964) Nr. 2. (engl. Übers. von Nr. 870).

1099 ○ Exegesis and Dogmatic Theology: Dogmatic vs. Biblical Theology, ed. by H. Vorgrimler (Baltimore - Dublin 1964) 31—65 (engl. Übers. von Nr. 817).

1100 ○ Dogmatic Considerations on the Knowledge and Consciousness in Christ: ebd. 241—267 (engl. Übers. von Nr. 818).

1101 ○ Clearing the Way to Christian Unity: Steps to Christian Unity, ed. by John A. O'Brien (New York 1964) 214—223.

1102 ○ Théologie de la vie religieuse: Les Religieux aujourd'hui et demain. Problèmes de vie religieuse (Paris 1964) 53—92 (franz. Übers. von Nr. 978).

1103 ○ *Escritos de Teología V (Madrid 1964)* (span. Übers. von Nr. 804).

1104 Gebete: P. W. Scheele (Hrsg.), Vater, die Stunde ist da. Gebete der Ökumene (Herder-Bücherei Bd. 194) (Freiburg i. Br. 1964) Nr. 78, 277 (vgl. Nr. 310, 72).

1105 ○ Szólok a hallgatag istenhez: Imádság és élet (München 1964) 7 bis 46 (ungar. Übers. von Nr. 72).

1106 ○ Écriture et Tradition: à propos du schéma conciliaire sur la Révélation divine: L'Homme devant Dieu. Mélanges offerts au Père Henri de Lubac, III. Perspectives d'aujourd'hui (Paris 1964) 209—221.

1107 ○ *Inspiration in the Bible (New York [5]1964)* (vgl. Nr. 690, 757, 854, 935).

1108 ○ *Visions and Prophecies (New York [3]1964)* (vgl. Nr. 900, 957).

1965

1109 *J. Neuner - H. Roos, Der Glaube der Kirche in den Urkunden der Lehrverkündigung*, hrsg. *von K. Rahner (Regensburg [7]1965)* (vgl. Nr. 140, 185, 348, 507, 725).

1110 ○ Considérations générales sur la Christologie: Problèmes actuels de Christologie par H. Bouesse — K. Rahner — Y. M-J. Congar (Bruges 1965) 15—33; 401—409 (franz. Übers. von Nr. 521).

1111 *Alltägliche Dinge* (Theol. Meditationen 5) *(Einsiedeln [2]1965)* (vgl. Nr. 1038).

1112 Die Selbstreform der Kirche im II. Vatikanum: C. Klinkhammer, Auf dem Wege. Die Einheit im Gespräch der Kirche (Essen 1965) 40—63.

1113 Wozu und für wen eine neue internationale Zeitschrift? Vorwort der Herausgeber (zus. mit E. Schillebeeckx O. P.) Concilium 1 (1965) 1—3.

1114 ○ Waarom en voor wie dit nieuw internationaal theologisch tijdschrift? (zus. mit. E. Schillebeeckx O. P.) Concilium 1 (1965) 1, 5—7 (niederl. Übers. von Nr. 1113).

1115 ○ ¿Para qué una nueva revista internacional de teología? (zus. mit E. Schillebeeckx O. P.) Concilium 1 (1965) 1, 3—8 (span. Übers. von Nr. 1113).

1116 ○ Una nuova rivista internazionale di Teologia. Perchè e per chi? (zus. mit. E. Schillebeeckx O. P.): Concilium 1 (1965) 1, 13—16 (ital. Übers. von Nr. 1113).

1117 ○ Une nouvelle revue internationale de théologie: Pourquoi? A qui s'adresse-t-elle? (zus. mit. E. Schillebeeckx O. P.): Concilium 1 (1965) 1, 5—10 (franz. Übers. von Nr. 1113).

1118 ○ Para quê para quem uma nova Revista Internacional de Teologia? (zus. mit E. Schillebeeckx O. P.): Concilium 1 (1965) 1, 3—7 (portug. Übers. von Nr. 1113).

1119 ○ General Introduction (zus. mit. E. Schillebeeckx O. P.): Concilium 1 (1965) 1, 3—4 (engl. Übers. von Nr. 1113).

1120 ○ General Introduction (zus. mit. E. Schillebeeckx O. P.): The Church and Mankind (= Concilium Vol. 1.) (New Jersey 1965) 1—4 (engl. Übers. von Nr. 1113).

1121 A la gloire de la miséricorde: L'évangile de la miséricorde. Hommage au Dr. A. Schweitzer présenté par Alphonse Goettmann (Paris 1965) 345 bis 353.

1122 *Betrachtungen zum ignatianischen Exerzitienbuch (München 1965).*

1123 Romano Guardini zum 80. Geburtstag: Süddeutsche Zeitung (München) Nr. 40 (16. 2. 65) 10.

1124 Sein Werk gehört allen Christen (Romano Guardini): Sonntagsblatt (Hamburg) 18, Nr. 8 (21. 2. 65) 2.

1125 Bemerkungen zum Begriff der Offenbarung: Interpretation der Welt, hrsg. von H. Kahlefeld — H. Kuhn — K. Forster (Festschrift für Romano Guardini) (Würzburg 1965) 713—722.

1126 *Maria, Mutter des Herrn (Freiburg i. Br. [5]1965)* (vgl. Nr. 416, 493, 593, 762).

1127 ○ The Pope and the Bishops. An Analysis of the Episcopate and Papal Primacy: Jubilee (New York) Februar 1965, 16—20 (Auszüge aus Nr. 1160).

1128 *Offenbarung und Überlieferung* (zus. mit J. Ratzinger) (Quaest. disp. 25) *(Freiburg i. Br. 1965)* (vgl. Nr. 1125).

1129 Konziliare Lehre der Kirche und künftige Wirklichkeit christlichen Lebens: Glauben — Wissen — Bildung. Eine Schriftenreihe der Kath. Studentengemeinde St. Fidelis/Freiburg i. Br. Nr. II./17 (4. 2. 65) 1—12.

1130 Diskussionsbeitrag zu D. Sölle „Kirche außerhalb der Kirche": In der Freiheit bestehen. Publikation zum 12. Deutschen Evangelischen Kirchentag Köln 1965 (Stuttgart 1965) 35—36.

1131 *Worte ins Schweigen (Innsbruck* [9]*1965)* (vgl. Nr. 72, 102, 139, 154, 220, 346, 580, 941).

1132 Sonntag, der Tag des Herrn: Der große Entschluß XX (1965) 246—248 (vgl. Nr. 698).

1133 ○ Palabra y Eucaristía: Selecciones de Teología (Barcelona) IV (1965) Heft 13, 49—58 (span. Übers. von Nr. 649).

1134 Der Mensch von heute und die Religion: Der Seelsorger 35 (1965) 18—30.

1135 Kirche im Wandel: StdZ 175 (1964/65) 437—454.

1136 Stellungnahme zur Frage nach der Verjährungsfrist für Naziverbrechen: Verjährung? 200 Persönlichkeiten des öffentlichen Lebens sagen Nein. Eine Dokumentation, hrsg. von S. Wiesenthal (Frankfurt 1965) 122.

1137 ○ La condition du laïc: Documentation M. E. P. Mars 1965, 227—238 (franz. Übers. von Nr. 633).

1138 ○ A Theology of Childhood: Theology Digest (St. Mary's/Kansas) XIII (1965) Nr. 1, 18—23 (engl. Übers. von Nr. 884).

1139 Thesen über das Gebet „im Namen der Kirche": Theologisches Jahrbuch, hrsg. von A. Dänhardt (Leipzig 1965) 133—149 (vgl. Nr. 692).

1140 Ostern: A. Röper, Die vierzehn Stationen im Leben des N. N. (Kevelaer 1965) 119—132.

1141 Geburtstagsbrief Prof. Karl Rahners an seinen Bruder Hugo zum 65. Geburtstag: Die Furche (Wien) 21 (1965) Nr. 19 (8. 5. 65) 8.

1142 *Im Heute glauben* (Theol. Meditationen 9) *(Einsiedeln 1965).*

1143 ○ Zondag — de dag van de Heer: Verbum XXXII (1965) 5, 163—168 (niederländ. Übers. von Nr. 698).

1144 Vorwort (zus. mit H. Schuster): Concilium 1 (1965) 163 (ebenso in allen Übersetzungen von „Concilium").

1145 Pastoraltheologische Bemerkungen über den Episkopat in der Lehre des II. Vatikanums: Concilium 1 (1965) 170—174.

1146 ○ Observations on Episcopacy in the light of Vatican II: Concilium 1 (1965) 3, 10—14 (engl. Übers. von Nr. 1145).

1147 ○ Pastoraaltheologische opmerkingen over het episcopaat in de leer van Vaticanum II: Concilium 1 (1965) 3, 18—25 (niederländ. Übers. von Nr. 1145).

1148 ○ Note di Teologia pastorale sull' Episcopato nella dottrina del Vaticano II: Concilium 1 (1965) 3, 74—83 (ital. Übers. von Nr. 1145).

1149 ○ Observacões teológico-pastorais sobre o Episcopado na doutrina do Vaticano II.: Concilium 1 (1965) 3, 14—20 (portug. Übers. von Nr. 1145).

1150 ○ Remarques de Théologie Pastorale à propos de l'Épiscopat selon l'enseignement de Vatican II.: Concilium 1 (1965) 3, 21—28 (franz. Übers. von Nr. 1145).

1151 ○ Anotaciones teológico-pastorales a la doctrina del Vaticano II acerca del episcopado: Concilium 1 (1965) 3, 17—26 (span. Übers. von Nr. 1145).

1152 ○ Preface (zus. mit H. Schuster): The Pastoral Mission of the Church (= Concilium Vol. 3) (New Jersey 1965) 1—2 (engl. Übers. von Nr. 1144).

1153 ○ Observations on Episcopacy in the Light of Vatican II: ebd. 15—23 (engl. Übers. von Nr. 1145).

1154 ○ Toekomstig Christendom: De heraut (Nijmegen) 96 (1965) Nr. 5, 141—153 (niederländ. Übers. von Nr. 1129).

1155 ○ *Sentido teológico de la muerte (Barcelona 1965)* (span. Übers. von Nr. 537).

1156 ○ *La nature et la grâce: Questions théologiques aujourd'hui, II:* Dogmatique (Textes et Études théologiques) (Paris 1965) 13—44 (franz. Übers. von Nr. 489).

1157 ○ Romano Guardini: Adelbert. Officieel Orgaan van de St. Adelbert Vereeniging (Utrecht) 13 (1965) Nr. 3, 53—59 (niederländ. Übers. von Nr. 1123).

1158 ○ *Saggi teologici (Rom 1965)* (ital. Übers. von Nr. 337, 642, 804).

1159 ○ Nature and grace: Theology Today I. Renewal in Dogma (Milwaukee 1965) 1—26 (engl. Übers. von Nr. 489).

1160 ○ *Studies in Modern Theology (London 1965)* (engl. Übers. von Nr. 488, 536, 718, 736, 1000).

1161 Grenzen der Amtskirche: Katholizismus und Kirche. Zum Weg des Deutschen Katholizismus nach 1945 (Studien und Berichte der Katholischen Akademie in Bayern, 28) (Würzburg 1965) 13—40.

1162 ○ La formación de los sacerdotes en la actualidad: Selecciones de Teología (Barcelona) IV (1965) Nr. 14, 183—193 (span. Übers. von Nr. 1073).

1163 ○ Over de inspiratie van de H. Schrift: Discussie over de Bijbel, hrsg. von L. Klein (Bilthoven 1965) 9—20 (niederländ. Übers. von Nr. 902).

1164 ○ On the Inspiration of the Bible: The Bible in a New Age, ed. by L. Klein (London — Melbourne — New York 1965) 1—15 (engl. Übers. von Nr. 902).

1165 Über die Einheit von Nächstenliebe und Gottesliebe: GuL 38 (1965) 168 bis 185.

1166 Sozialpolitik und Liebe: Süddeutsche Zeitung (München) 125/126 (vom 26./27. 5. 65) 22 (Auszug aus Nr. 1165).

1167 ○ Le „cœur“ dans le culte du Sacré-Cœur: Prière et vie (Toulouse) 1965, 325—337 (franz. Übers. von Nr. 1003).

1168 *Alltägliche Dinge* (Theol. Meditationen 5) *(Einsiedeln [3]1965)* (vgl. Nr. 1038, 1111).

1169 Zum heutigen Pluralismus in der geistigen Situation der Katholiken und der Kirche: StdZ 176 (1965) 191—199.

1170 Christliche Zukunft des Menschen: Orientierung 29 (1965) Nr. 9 (vom 15. 5. 65) 107—110.

1171 ○ Christology and an Evolutionary World View: Theology Digest (St. Mary's/Kansas) XIII (1965) Nr. 2, 83—88 (engl. Teil-Übers. von Nr. 794).

1172 Christliche Zukunft des Menschen: Christophorus (München) 10 (1965) Nr. 3, 16—22 (vgl. Nr. 1170).

1173 ○ Romano Guardini: Omaggio nell'ottantesimo compleanno: Humanitas (Brescia) 1965) 390—401 (ital. Übers. von Nr. 1123).

1174 ○ L'avenir chrétien de l'homme: Informations catholiques internationales Nr. 124 (vom 15. 6. 65) 3—4, 26—28 (franz. Übers. von Nr. 1170).

1175 ○ *Mary Mother of the Lord (London 1965)* (engl. Übers. von Nr. 416).

1176 Hans Urs von Balthasar — 60. Geburtstag: Civitas 20 (1965) 601—605.

1177 Trennt Maria die Konfessionen?: Feuerreiter (Köln) 41 (1965) Nr. 10 (vom 15. 5. 65) 2.

1178 ○ *Die Gegenwart des Christentums (Tokio 1965)* (japan. Übers. von Nr. 926).

1179 Ideologie und Christentum: Concilium 1 (1965) 475—483.

1180 ○ Christianity and Ideology: Concilium 1 (1965) 6, 23—32 (engl. Übers. von Nr. 1179).

1181 ○ Le christianisme est-il une idéologie?: Concilium 1 (1965) 6, 41—61 (franz. Übers. von Nr. 1179).

1182 ○ Ideologie e cristianismo: Concilium 1 (1965) 6, 31—44 (portugies. Übers. von Nr. 1179).

1183 ○ Ideologie en christendom: Concilium 1 (1965) 6, 41—57 (niederländ. Übers. von Nr. 1179).

1184 ○ Ideologia e cristianesimo: Concilium 1 (1965) 3, 51—71 (italien. Übers. von Nr. 1179).

1185 ○ Ideología y cristianismo: Concilium 1 (1965) 6, 42—62 (span. Übers. von Nr. 1179).

1186 ○ Christianity and Ideology: The Church and the World (= Concilium Vol. 6) (New Jersey 1965) 41—58 (engl. Übers. von Nr. 1179).

1187 Der liebe Gott und sein Herz: Kontakt. Aus dem Leben des Bamberger Priesterseminars Nr. 13 (1965/2) 22—23.

1188 ○ Clés pour la mission: Spiritus 24 (1965) Diskussionsbeiträge 256 f, 266 f., 271 f., 302 f., 312—314, 354 f.

1189 Konziliare Lehre der Kirche und künftige Wirklichkeit christlichen Lebens: Der Seelsorger 35 (1965) 228—241 (vgl. Nr. 1129).

1190 ○ Der Mensch von heute und die Religion: Civiltà delle macchine XIII (1965) Nr. 3, 25—29 (deutsch und italienisch) (vgl. Nr. 1134).

1191 ○ ¿Qué puede cambiar en la vida de la Iglesia?: Mensaje (Santiago de Chile) XIV (1965) Nr. 140, 352—356 (span. Übers. von Nr. 1135).

1192 ○ Authority and Dissent in the church: The National Catholic Reporter (Kansas City, Mo.) vom 21. 7. 65, 6.

1193 ○ *Missão e graça II.: Funçoes e estados de vida na igreja* (portug. Teilübers. von Nr. 582).

1194 Über den Dialog in der pluralistischen Gesellschaft: StdZ 176 (1965) 321—330.

1195 Der Dialog in der pluralistischen Gesellschaft: J. B. Metz — J. Splett (Hrsg.), Weltverständnis im Glauben (Mainz 1965) 287—297 (vgl. Nr. 1194).

1196 *Von der Not und dem Segen des Gebetes* (Herder-Bücherei Bd. 28) *(Freiburg i. Br. 1965)* (vgl. Nr. 531, 585, 636, 756, 856, 985).

1197 ○ *Hominisation. The Evolutionary Origin of Man as a Theological Problem (New York 1965)* (engl. Übers. von Nr. 566).

1198 *Biblische Predigten (Freiburg i. Br. 1965)*

1199 Über den Dialog in der pluralistischen Gesellschaft (Selbstverlag der Stadt Pforzheim 1965) (vgl. Nr. 1194).

1200 ○ Wat is het christendom eigenlijk?: Euros (Hilversum - Antwerpen) (1965) 64—71.

1201 ○ Lo que puede cambiar en la enseñanza dogmática y moral de la Iglesia: Mensaje (Santiago de Chile) XIV (1965) Nr. 141, 417—423 (span. Übers. von Nr. 1135; vgl. Nr. 1191).

1202 ○ *Spiritual Exercises (New York 1965)* (engl. Übers. von Nr. 1122).

1203 Ist das Christentum eine „absolute Religion"?: Orientierung 29 (1965) 176—178.

1204 „Ertraget einander und vergebet einander": GuL 38 (1965) 310—312.

1205 ○ On the Theology of Death: Modern Catholic Thinkers, I. ed. by A. R. Caponigri (New York - Evanston - London 1965) 138—176 (engl. Übers. von Nr. 449).

1206 ○ On the Theology of Freedom: Freedom and Man, ed. by. J. C. Murray S. J. (New York 1965) 201—217.

1207 Hans Urs von Balthasar: Humanitas 20 (1965) 9, 879—885 (vgl. Nr. 1176).

1208 ○ On the Theology of Death: Modern Catholic Thinkers, I: God and Man, ed. by A. R. Caponigri (New York 1965) 138—176 (ppb-Ausgabe von Nr. 1205).

1209 Teufel, III.: LThK X. (Freiburg i. Br. ^{2}1965) 7.

1210 Theologia crucis, II.: ebd. 61

1211 Theologische Tugenden, III., IV.: ebd. 79—80.

1212 Theologoumenon: ebd. 80—82.

1213 Tod, IV.: ebd. 221—226.

1214 Tod Jesu, 2.: ebd. 231—232.
1215 Urgeschichte: ebd. 557—559.
1216 Vorsehung II.: ebd. 887—889.
1217 Wiederaufleben der Verdienste (und Sünden): ebd. 1098—1099.
1218 Wort Gottes, II.: ebd. 1235—1238.
1219 ○ *Theological Dictionary* (zus. mit. H. Vorgrimler) *(New York 1965)* (engl. Übers. von Nr. 720).
1220 ○ *Saggi di cristologia e di mariologia (Rom 1965)* (ital. Auswahl-Übers. aus Nr. 337, 423, 642, 804).
1221 ○ *Saggi sui sacramenti e sull'escatologia (Rom 1965)* (ital. Auswahl-Übers. von Nr. 423, 642, 804).
1222 Vom Sehen und Hören. Fragment einer Betrachtung: Panoptikum oder Wirklichkeit. Der Streit um die Photographie, hrsg. von K. Pawek (Hamburg 1965) 75—81.
1223 Ursprünge der Freiheit. Vom christlichen Freiheitsverständnis: M. Horkheimer — K. Rahner — C. F. v. Weizsäcker, Über die Freiheit. Eine Vorlesungsreihe des 12. Deutschen Evangelischen Kirchentages Köln 1965 (Stuttgart — Berlin 1965) 27—49.
1224 *Kirche im Wandel. Nach dem Zweiten Vatikanischen Konzil* (Reihe Entscheidung 42) *(Kevelaer 1965)* (vgl. Nr. 1135).
1225 Ursprünge unserer Freiheit: Erlebter Kirchentag 1965. In der Freiheit bestehen (Stuttgart — Berlin 1965) 117—183 (Auszüge aus Nr. 1223).
1226 Der Christ in seiner Umwelt: StdZ 176 (1965) 481—489.
1227 La situation actuelle de la théologie en Allemagne: Recherches et Débats (Paris 1965) 209—227.
1228 Unveränderlichkeit und Wandel im Glaubensverständnis in der Zeit des Konzils: Theologische Akademie I., hrsg. von K. Rahner — O. Semmelroth (Frankfurt 1965) 74—98.
1229 Der Christ in seiner Umwelt: Katholischer Wegweiser 1966 für Hamburg und Schleswig/Holstein, hrsg. von J. v. Rudloff (Hamburg 1965) 18—29 (vgl. Nr. 1226).
1230 ○ *Au service des hommes. Mission et grâce III (Paris 1965)* (franz. Teilübers. von Nr. 582).
1231 *Kleines theologisches Wörterbuch* (zus. mit H. Vorgrimler) (Herder-Bücherei Bd. 108—109 *(Freiburg* [5]*1965)* (vgl. Nr. 720, 766, 899, 1005).
1232 Kurzer Inbegriff des christlichen Glaubens für „Ungläubige“: GuL 38 (1965) 374—379.
1233 *Bergend und heilend. Über das Sakrament der Kranken (München 1965)*
1234 ○ Good Intention: Theology Digest (St. Mary's/Kansas) XIII (1965) 206—211 (engl. Übers. von Nr. 371).
1235 Das christliche Verständnis der Freiheit: Deutsche Tagespost Nr. 93 (vom 6./7. 8. 65) 11; Nr. 94 (vom 9. 8. 65).
1236 ○ Theologische opmerkingen over de zelfmanipulatie van de mens: Adelbert (Utrecht) 13 (1965) Nr. 11, 197—208.

1237 Festvortrag: Akademische Feier zum 80. Geburtstag von Romano Guardini (Würzburg 1965) 17—35.

1238 ○ Romano Guardini: Folia humanistica (Barcelona) III (1965) Nr. 34, 771—781 (span. Übers. von Nr. 1237).

1239 ○ Christian of the Future: U. S. Catholic (Chicago/Illinois) XXXI (1965) Nr. 7, 13—18 (engl. Übers. von Nr. 1170).

1240 ○ *Everyday Things* (Theol. Meditations 5) *(London - Melbourne 1965)* (engl. Übers. von Nr. 1038).

1241 ○ *Sulla theologia della morte (Brescia 1965)* (ital. Übers. von Nr. 537).

1242 ○ *Chiesa e sacramenti (Brescia 1965)* (ital. Übers. von Nr. 718).

1243 ○ *Saggi d'antropologia soprannaturale (Roma 1965)* (ital. Teilübers. von Nr. 337, 379, 642, 804).

1244 *Alltägliche Dinge* (Theol. Meditationen 5) *(Einsiedeln [4]1965)* (vgl. Nr. 1038, 1111, 1168).

1245 Ursprünge der Freiheit. Vom christlichen Freiheitsverständnis: M. Horkheimer — K. Rahner — C. F. v. Weizsäcker: Über die Freiheit (Stuttgart — Berlin [2]1965) 26—49 (vgl. Nr. 1223).

1246 ○ Szakemberek és teologusok: Merleg (Wien) 1 (1965) Heft 3, 160 bis 166 (Auszug in ungar. Sprache von Nr. 1169).

1247 ○ Per una teologia della parrocchia: Hugo Rahner, La parrocchia (Roma [2]1965) 39—57 (vgl. Nr. 754).

1248 ○ World History and Salvation: The Christian and the World, compiled at the Canisianum/Innsbruck (New York 1965) 45—67 (engl. Übers. von Nr. 793, 863).

1249 ○ Christianity and the „New Man": ebd. 206—299 (engl. Übers. von Nr. 1252).

1250 *Schriften zur Theologie VI (Einsiedeln 1965)* (enthält, zum Teil erweitert, chronologisch geordnet folgende Beiträge: Nr. 129, 653, 848, 850, 881, 886, 888, 897, 905, 924, 929, 945, 976, 1073, 1079, 1135, 1145, 1161, 1169, 1170, 1179, 1189, 1194, 1206, 1317, 1319, 1885 und den unveröffentlichten Beitrag: „Die anonymen Christen"; insgesamt 28 Beiträge).

1251 *Zur Theologie des Todes* (Quaest. disp. 2) *(Freiburg i. Br. [5]1965)* (vgl. Nr. 537, 632, 732, 925).

1252 Der Christ in der modernen Welt: Römische Reden. Zehn Jahre Deutsche Bibliothek Rom, Goethe-Institut 1955—1965 (München 1965) 7—28.

1253 ○ Vjera danasnjeg svećenika: Bogolovska Smotra 35 (1965) 6—29 (kroat. Übers. von Nr. 805).

1254 Ursprünge der Freiheit: Deutscher Evangelischer Kirchentag Köln 1965. Dokumente (Stuttgart 1965) 827—841 (vgl. Nr. 1223).

1255 ○ Enige gedachten over het religieuze boek: Toekomst van het religieuze boek (Hilversum - Antwerpen 1965) 13—17.

1256 Weihnachten. Fest der ewigen Jugend: GuL 38 (1965) 401—404.

1257 ○ The Christian of the Future: Pax Romana Journal 6 (1965) 3—7 (vgl. Nr. 1170).

1258 ○ *Episcopado y primado* (zus. mit. J. Ratzinger) *(Barcelona 1965)* Neues Vorwort: 9—13 (span. Übers. von Nr. 736).

1259 *Heilige Stunde und Passionsandacht (Freiburg i. Br. 41965)* (vgl. Nr. 356, 408, 635).

1260 Gott ist keine naturwissenschaftliche Formel: Badische Neueste Nachrichten (Karlsruhe) vom 24. 12. 65, 3.

1261 Gott ist keine Formel: Westfälische Rundschau vom 24. 12. 65, Beilage: Gott und die Wissenschaft, 2 (vgl. Nr. 1260).

1262 Gott ist keine naturwissenschaftliche Formel: Schwäbische Donauzeitung — Ehinger Tagblatt vom 24. 12. 65, Weihnachtsbeilage 1 (vgl. Nr. 1260).

1263 ○ Le chrétien de demain: Pax Romana Journal (Fribourg) 6 (1965) 3—7) (vgl. Nr. 1134).

1264 ○ The Faith of the Priest Today: Philippine Studies (Manila 1965) 495—503 (Übers. von Nr. 807).

1265 ○ *Saggi di spiritualità (Roma 1965)* (ital. Teil-Übers. von Nr. 423, 642, 804).

1266 Der neue Auftrag der einen Liebe: Korrespondenzblatt Christ im Anruf Christi in der Tat. Generalversammlung Köln 11.—13. 5.65. Kath. Fürsorgeverein für Mädchen, Frauen und Kinder (Dortmund) 35 (1965) Heft 8—10, 206—216.

1267 *Auferstehung des Fleisches (Kevelaer 21965)* (vgl. Nr. 799).

1268 Bemerkungen zum Begriff der Offenbarung: Interpretation der Welt. Festschrift für Romano Guardini, hrsg. von H. Kahlefeld — H. Kuhn — K. Forster (Würzburg 21965) 713—722 (vgl. Nr. 1125).

1269 ○ Szólok a hallgatag Istenhez: Magyar papi egysek. Imádség és élet 32 (Különszam 1965) 7—49 (ungar. Übers. von Nr. 72)

1270 ○ *Theological Investigations I: God, Christ, Mary and Grace (London 21965)* (vgl. Nr. 661).

1271 *Das Dynamische in der Kirche* (Quaest. disp. 5) *(Freiburg i. Br. 31965)* (vgl. Nr. 535, 625).

1272 ○ *Klein theologisch Woordenboek* (zus. mit. H. Vorgrimler) *(Hilversum 1965)* (niederländ. Übers. von Nr. 720).

1273 ○ *Openbaring en overlevering* (zus. mit J. Ratzinger) *(Hilversum 1965)* (niederländ. Übers. von Nr. 1128).

1274 ○ *Meditaties over de geestelijke Oefeningen van Ignatius (Hilversum-Antwerpen 1965)* (niederländ. Übers. von Nr. 1122).

1275 ○ Der Mensch von heute: Wiez Nr. 10/1965 (poln Übers. von Nr. 1134).

1276 ○ *Bishops: Their Status and Function (Baltimore 1965)* (engl. Übers. von Nr. 990).

1277 ○ *Missão e graça III: Problemas de espiritualidade e pastoral (Petrópolis 1965)* (portug. Teil-Übers. von Nr. 582).

1278 ○ O Mozliwośi, wiary dzisiaj (Krakau 1965) (poln. Auswahl-Übers von Nr. 72, 531, 582, 678, 804).

1279 Ausgewählte Texte: E. Stählin, Die Verkündigung des Reiches Gottes in der Kirche Jesu Christi aus allen Jahrhunderten und allen Konfessionen VII: Von der Mitte des 19. Jahrhunderts bis zur Mitte des 20. Jahrhunderts (Basel 1965) 102—110 (Auszüge aus Nr. 278, 548, 646).

1280 Aus der „Laudatio" für Romano Guardini: Münchener Katholische Kirchenzeitung 58 (1965) Nr. 9 (28. 2. 65) 8 (vgl. Nr. 1237).

1281 ○ *La fede in mezzo al mondo (Alba ²1965)* (vgl. Nr. 958)

1282 Kerygma und Dogma (zus. mit K. Lehmann): Mysterium salutis I, hrsg. von J. Feiner - M. Löhrer (Einsiedeln 1965) 622—703.

1283 Geschichtlichkeit der Vermittlung: Das Problem der Dogmenentwicklung (zus. mit K. Lehmann): ebd. 727—775.

1284 Die Bedeutung der Dogmengeschichte (zus. mit K. Lehmann): ebd. 776—787.

1285 Der dreifaltige Gott als transzendenter Ursprung der Heilsgeschichte: Methode und Struktur des Traktats „De Deo Trino": Mysterium salutis II (Einsiedeln 1965) 317—347.

1286 Grundzüge der kirchenamtlichen Trinitätslehre: ebd. 348—368.

1287 Systematischer Entwurf einer Theologie der Trinität: ebd. 369—401.

1288 Grundsätzliche Überlegungen zur Anthropologie und Protologie im Rahmen der Theologie: ebd. 406—420.

1289 *Das Problem der Hominisation* (zus. mit P. Overhage) *(Freiburg i. Br. ³1965)* (vgl. Nr. 737, 901).

1290 ○ *Chrétiens de demain* (Le concile vous parle 4) *(Bruxelles 1965)* (franz. Übers. von Nr. 1129).

1291 *Über die Schriftinspiration* (Quaest. disp. 1) *(Freiburg i. Br. ⁴1965)* (vgl. Nr. 488, 500, 849).

1292 ○ *Theological Dictionary* (zus. mit H. Vorgrimler) *(New York ²1965)* (vgl. Nr. 1219).

1293 ○ *Hominisation. The Evolutionary Origin of Man as a Theological Problem (New York ²1965)* (vgl. Nr. 1197).

1294 ○ *On the Theology of Death (New York ⁷1965)* (vgl. Nr. 691, 721, 844, 956, 975, 992).

1966

1295 Das Konzil — ein neuer Beginn: Klerusblatt (München) 46 (1966) 4—8.

1296 *Biblische Predigten (Freiburg i. Br. ²1966)* (vgl. Nr. 1198).

1297 ○ The Christian of the Future: Catholic Herald vom 7. 1. 66, 5 (engl. Übers. von Nr. 1170).

1298 Von der Arbeit: Wiener Kirchenzeitung 47 (1966) Nr. 3 (16. 1. 66) (Abdruck aus Nr. 1038).

1299 *Das Konzil — ein neuer Beginn (Freiburg i. Br. 1966)* (vgl. Nr. 1295).

1300 Gott ist keine naturwissenschaftliche Formel: Stuttgarter Nachrichten Nr. 6 (vom 8. 1. 66) 34 (vgl. Nr. 1260).

1301 *Le chrétien et la mort:* Foi vivante 21 *(Paris 1966)* (Auszug aus Nr. 943).

1302 ° *Écrits théologiques IV (Paris 1966)* (franz. Auswahl-Übers. von Nr. 337, 379, 642).

1303 Vom Gehen: Wiener Kirchenzeitung 47 (1966) Nr. 5 (30. 1. 66) 7 (Abdruck aus Nr. 1038).

1304 Das Volk Gottes: Das neue Volk Gottes, hrsg. von W. Sandfuchs (Würzburg 1966) 27—37.

1305 Das Konzil — ein neuer Beginn: Die Sendung 19 (1966) Nr. 1, 2—11 (vgl. Nr. 1295).

1306 ° Sanse kršanstra u naše doba (Zagreb 1966) (kroat. Übers. von Nr. 255, 419).

1307 Vom Sitzen: Wiener Kirchenzeitung 47 (1966) Nr. 6 (6. 2. 66) 7 (Abdruck aus Nr. 1038).

1308 Das Konzil — ein Anfang: Academia 59 (1966) Heft 1, 4—10 (vgl. Nr. 1295).

1309 R: R. Egenter — P. Matussek: Ideologie, Glaube und Gewissen (München 1965): Medizinische Klinik 61 (1966) 282.

1310 Vom Essen: Wiener Kirchenzeitung 47 (1966) Nr. 8 (20. 2. 66) 6 (Abdruck aus Nr. 1038).

1311 Wir haben es nicht bereut: Zur Pastoral der geistlichen Berufe, hrsg. vom Päpstlichen Werk für geistliche Berufe in den Diözesen Deutschlands (Freiburg i. Br. 1966) 26—29.

1312 ° Il dialogo nella società pluralistica: Humanitas (Brescia) XXI (1966) 1—15 (Ital. Übers. von Nr. 1194).

1313 ° *Écrits théologiques V (Paris 1966)* (franz. Auswahl-Übers. von Nr. 337, 379).

1314 Das neue Bild der Kirche: GuL 39 (1966) 4—24.

1315 ° *L'Eucharistie et les hommes d'aujourd'hui. Réflexions spirituelles et pastorales* (Paris 1966) (franz. Übers. von Nr. 778, 851, 591).

1316 Bemerkungen zur Gotteslehre in der katholischen Dogmatik: Catholica 20 (1966) 1—18.

1317 Die Sünde in der Kirche: De Ecclesia I. Beiträge zur Konstitution „Über die Kirche" des Zweiten Vatikanischen Konzils, hrsg. von G. Baraúna; Deutsche Ausgabe besorgt von O. Semmelroth, J. G. Gerhartz, H. Vorgrimler (Freiburg - Frankfurt 1966) 346—362.

1318 ° *Watch and Pray with Me (New York 1966)* (engl. Übers. von Nr. 356).

1319 Grenzen einer Wesensethik: Neue Grenzen I. Ökumenisches Christentum morgen, hrsg. von Kl. von Bismarck - W. Dirks - I. Herrmann (Stuttgart 1966) 122—129.

1320 Was wurde erreicht?: K. Rahner - O. Cullmann - H. Fries: Sind die Erwartungen erfüllt? Überlegungen nach dem Konzil (Theol. Fragen heute 7) (München 1966) 7—34.

1321 ° The Theology of Renunciation: Sister Formation. Bulletin XII (1966) 2, 1—5 (engl. Übers. von Nr. 283).

1322 Einige Bemerkungen zum Artikel von Hans Heimerl: Concilium 2 (1966) 225 (und entsprechend in allen ausländischen Ausgaben von „Concilium").

1323 ○ Some Observations on the Article by Hans Heimerl: Re-thinking the Church's Mission (= Concilium Vol. 13) (New Jersey 1966) 145—146 (engl. Übers. von Nr. 1322).

1324 Anmerkungen zum Artikel von E. Hillmann, Die Hauptaufgabe der Mission: Concilium 2 (1966) 159 (und entsprechend in allen ausländischen Ausgaben von „Concilium").

1325 ○ *Saggi sulla chiesa (Roma 1966)* (ital. Auswahl-Übers. aus Nr. 379, 423, 804).

1326 ○ De Christen van de toekomst: Adelbert (Utrecht) 14 (1966) 63—72 (niederländ. Übers. von Nr. 1170).

1327 *Im Heute glauben* (Theol. Meditationen 9) *(Einsiedeln [2]1966)* (vgl. Nr. 1142).

1328 *Alltägliche Dinge* (Theol. Meditationen 5) *(Einsiedeln [5]1966)* (vgl. Nr. 1038, 1111, 1168, 1244).

1329 Zur Geschichtlichkeit der Theologie: Neues Forum XIII (1966) Heft 148—149, 231—235.

1330 ○ Vâltozó Egyház: Mérleg (Wien) II (1966) 93—105 (ungar. Übers. von Nr. 1135).

1331 Kommentar zum III. Kapitel der dogmatischen Konstitution über die Kirche (art. 18—27): LThK, Das Zweite Vatikanische Konzil. Dokumente und Kommentare I (Freiburg i. Br. 1966) 210—247.

1332 Die Lehre des II. Vatikanischen Konzils über den Diakonat: Der Seelsorger 36 (1966) 193—199.

1333 ○ *Das Konzil — ein neuer Beginn (Tokio 1966)* (japan. Übers. von Nr. 1295).

1334 Intellektuelle Redlichkeit und christlicher Glaube: StdZ 177 (1966) 401—417.

1335 Christlicher Humanismus: Orientierung 30 (1966) Nr. 10 (31. 5. 66) 116—121.

1336 ○ *Il Concilio. La Chiesa di fronte al futuro (Roma 1966) (ital. Übers.* von Nr. 1190).

1337 ○ *Inspiration in the Bible (New York [6]1966)* (vgl. Nr. 690, 757, 854, 935, 1107).

1338 Hochschulgemeinde als gegenwärtiges Modell künftiger Pfarrstrukturen — Anfang einer Überlegung: 20 Jahre Kath. Hochschuljugend in Graz (Graz 1966) 13—14.

1339 ○ Scrittura e tradizione: a proposito dello schema conciliare sulla Rivelazione divina: L'uomo davanti a Dio (Roma 1966) 863—882 (ital. Übers. von Nr. 1106).

1340 ○ *The Church and the Sacraments (London [5]1966)* (vgl. Nr. 880, 969, 993, 1076).

1341 ○ The Apostolate of Layman: A Theology Reader. Contemporary Developments in Catholic Theology and Biblical Studies (ed. by

R. W. Gleason S. J.) (New York — London 1966) 305—315 (engl. Übers. von Nr. 315).

1342 Theologie für Heiden: Sonntagsblatt (Hamburg) 19 (1966) Nr. 25 (19. 6. 66) 15 (vgl. Nr. 1189).

1343 ○ El hombre actual y la religión: Revista de Occidente (Madrid) IV (1966) 313—339 (span. Übers. von Nr. 1134).

1344 ○ De L'Épiscopat: W. Stählin u. a., Églises Chrétiennes et Épiscopat. Vues fondamentales sur la théologie de l'Épiscopat (Paris 1966) 195—252 (franz. Übers. von Nr. 990).

1345 ○ Can Man Perfect Himself?: The Catholic World (New York) 203 (1966) 138—144 (engl. Teil-Übers. von Nr. 1404).

1346 Marxistische und christliche Theologen. Stichwortprotokoll vom Gespräch der Paulusgesellschaft am Herrenchiemsee: Neues Forum 13 (1966). Beiträge von K. Rahner: 329, 330, 331.

1347 Blick in die Zukunft: N. Greinacher - H. T. Risse (Hrsg.), Bilanz des deutschen Katholizismus (Mainz 1966) 487—508.

1348 ○ *Theological Investigations V (Later writings) (Baltimore - London 1966)* (engl. Übers. von Nr. 804).

1349 ○ Le péché dans l'Église: G. Baraúna - Y. Congar (Hrsg.), L'Église de Vatican II. Études autour de la Constitution conciliaire sur l'Église II (Paris 1966) 373—391 (franz. Übers. von Nr. 1317).

1350 ○ L'ispirazione della Scrittura: L. Klein (Hrsg.), Discussione sulla Bibbia (Brescia 1966) 15—31 (ital. Übers. von Nr. 1013).

1351 Kirche im Wandel: Vaterland 139 (1966) vom 18. 6. 66; Nr. 145 vom 25. 6. 66; Nr. 151 vom 2. 7. 66 (vgl. Nr. 1135).

1352 Wir haben es nicht bereut!: Beilage zum kirchlichen Anzeiger (Luxemburg) 21 (1966) 59—61 (vgl. Nr. 1311).

1353 ○ *El Concilio — Nuevo Comienzo (Barcelona 1966)* (span. Übers. von Nr. 1295).

1354 ○ *Sur le Sacerdoce (Paris 1966)* (franz. Übers. von Nr. 460).

1355 ○ *Sur l'Eucharistie (Paris 1966)* (franz. Übers. von Nr. 591).

1356 Grundentwurf einer theologischen Anthropologie: Handbuch der Pastoraltheologie II/1 (1966) 20—38.

1357 Heilsvermittlung und Heilsprozesse: ebd. 55—61.

1358 Die Rücksicht auf die verschiedenen Aspekte der Frömmigkeit: ebd. 61—79.

1359 Die formal richtig strukturierte Verkündigung christlicher Botschaft: ebd. 133—145.

1360 Intimität des Religiösen und religiöse Propaganda: ebd. 146—151.

1361 Theoretische und reale Moral in ihrer Differenz: ebd. 153—163.

1362 „Taktische" Strukturen der Seelsorge: ebd. 163—177.

1363 Die Gegenwart der Kirche. Theologische Analyse der Gegenwart als Situation des Selbstvollzugs der Kirche. Wissenschaftstheoretische Vorüberlegungen: ebd. 181—188.

1364 Grundzüge der Gegenwartssituation (zus. mit. N. Greinacher): ebd. 188—221.

1365 Religion und Kirche in der modernen Gesellschaft (zus. mit N. Greinacher): ebd. 222—233.

1366 Theologische Deutung der Gegenwartssituation als Situation der Kirche: ebd. 233—256.

1367 Die grundlegenden Imperative für den Selbstvollzug der Kirche in der gegenwärtigen Situation: ebd. 256—276.

1368 Das Verhältnis der Kirche zur Gegenwartssituation im allgemeinen: Globale kirchliche Strategie: Handbuch der Pastoraltheologie II/2 (1966) 19—24.

1369 Allgemeine Prinzipien der Zentralisierung und Dezentralisierung in der Kirche: ebd. 24—35.

1370 Der Auftrag der Kirche in der bleibend säkularen Welt: ebd. 35—45.

1371 Grundprinzipien zur heutigen Mission der Kirche: ebd. 46—49.

1372 Zum Verhältnis von praktischer Theologie und Missiologie: ebd. 49—52.

1373 Wesen und Eigenständigkeit der äußeren Mission als Grundfunktion der ganzen Kirche: ebd. 52—62.

1374 Träger der Mission: ebd. 62—69.

1375 Das „Objekt“ der Mission: ebd. 69—74.

1376 Zur Missionsstrategie und Missionstaktik: ebd. 74—80.

1377 Grundstrukturen im heutigen Verhältnis der Kirche zur Welt: ebd. 203—208.

1378 Grundsätzliches zur Einheit von Schöpfungs- und Erlösungswirklichkeit: ebd. 208—228.

1379 Vollzugsmomente im konkreten christlichen Weltverhältnis: ebd. 228—239.

1380 Kirche und Wissenschaft: ebd. 269—278.

1381 Die profane Sozialhilfe und die Stellung der Kirche dazu (zus. mit K. Lehmann): ebd. 391—402.

1382 ○ *Communisme en christendom* (Pastorale Cahiers 24) *(Hilversum - Antwerpen 1966)* (niederländ. Teil-Übers. von Nr. 642, 804).

1383 ○ *Geloof en mensbeeld* (Pastorale Cahiers 23) *(Hilversum - Antwerpen 1966)* (niederländ. Teil-Übers. von Nr. 642).

1384 ○ *De pelgrimerende Kerk* (Pastorale Cahiers 22) *(Hilversum - Antwerpen 1966)* (niederländ. Teil-Übers. von Nr. 1250; 1295).

1385 ○ Mit olvassunk?: Mérleg (Wien) 2 (1966) 223—225.

1386 ○ Religies antwoorden op eenendertig vragen van G. Szczesny (Amsterdam-Hilversum 1966) 168—170, 179—181, 188—189, 194—195, 201—203, 207—208, 215—217, 221—222, 236—238, 249—250, 256 bis 257, 261—262, 272—273, 277—278, 282—284, 289, 297—299, 305 bis 307, 313—314 (niederländ. Übers. von Nr. 1018).

1387 ○ *Missione e grazia. Saggi di Teologia pastorale (Roma ²1966)* (vgl. Nr. 1014).

1388 ○ La visita al Santísimo: Palabra (Madrid) 11 (1966), Juli, 8—11 (span. Übers. von Nr. 603).

1389 *Alltägliche Dinge* (Theol. Meditationen 5) *(Einsiedeln ⁶1966)* (vgl. Nr. 1038, 1111, 1168, 1244, 1328).

1390 Unbefangenheit und Anspruch (zus. mit F. G. Friedmann). Ein Briefwechsel zum jüdisch-christlichen Gespräch: StdZ 91 (1966) 81—97. Beitrag von K. Rahner 92—97.

1391 Pastoraltheologie: Was ist Theologie?, hrsg. von E. Neuhäusler - E. Gössmann (München 1966) 285—309.

1392 Über die theoretische Ausbildung künftiger Priester heute: Theologisches Jahrbuch 1966, hrsg. von A. Dänhardt (Leipzig 1966) 450—471.

1393 Vom Offensein für den je größeren Gott. Zur Sinndeutung des Wahlspruchs „Ad maiorem Dei gloriam": GuL 39 (1966) 183—201.

1394 ○ *Est-il possible aujourd'hui de croire? Dialogue avec les hommes de notre temps (Paris 1966)* (franz. Teil-Übers. von Nr. 804, 1250; 1179).

1395 ○ *Mission and grace III (London - Melbourne 1966)* (Teil-Übers. von Nr. 582).

1396 Wie konkret ist der Wille zur Einheit unter den getrennten Christen?: Konzil als Prozeß. Hrsg. von L. Waltermann. Berichte im Westdeutschen Rundfunk über das Zweite Vatikanum. Eine Dokumentation (Köln 1966) 169—170.

1397 ○ *Revelation and Tradition* (zus. mit J. Ratzinger) *(Freiburg-London 1966)* 7, 9—25, 69 (engl. Übers. von Nr. 1128).

1398 ○ Experimento hombre: Razón y Fe (Madrid) 174 (1966) Nr. 822—823, Fasc. 1—2, 27—46 (span. Übers. von Nr. 1404).

1399 ○ „Se reconcilian con la Iglesia". Un aspecto rescatado de la confesión: Apostolado laical IV (1966) Nr. 24, 88—94 (span. Teil-Übers. von Nr. 1698).

1400 ○ Vorwort zu: E. Hillmann, The Church as Mission (London - Melbourne 1966) 12—13.

1401 ○ *Appels au dieu du silence. Dix meditations (Mulhouse 1966)* (franz. Übers. von Nr. 72).

1402 ○ Síntesis de la fe cristiana para „no creyentes": Selecciones de teología (Barcelona) 19 (1966) 222—224 (span. Übers. von Nr. 1232).

1403 *Von der Not und dem Segen des Gebetes. Ausgabe in Blindenschrift, 2 Bd.* (vgl. Nr. 171).

1404 Experiment Mensch. Theologisches zur Selbstmanipulation des Menschen: Die Frage nach dem Menschen. Aufriß einer philosophischen Anthropologie. Festschrift für Max Müller zum 60. Geburtstag, hrsg. von H. Rombach (Freiburg — München 1966) 45—69.

1405 Das Konzil — ein neuer Beginn: Oberrheinisches Pastoralblatt 67 (1966) 228—237 (Auszüge aus Nr. 1295).

1406 Katholiken und Geburtenregelung (zus. mit H. Vorgrimler): Badische Zeitung 21 (1966) Nr. 200 (vom 1. 8. 66) 3.

1407 ○ Un humanisme chrétien est-il possible?: Choisir 7 (1966) Nr. 82, 15—18 (franz. Übers. von Nr. 1413).

1408 Kirche, Kirchen und Religionen: Theologische Akademie III, hrsg. von K. Rahner - O. Semmelroth (Frankfurt 1966) 70—87.

1409 ○ Some Thoughts on the Future of the Religious Book: Paulist Press — The Newman Press, International Division (Amsterdam 1966) 3—6 (engl. Übers. von Nr. 1255).

1410 ○ Paul, Apostle for Our Times: The Catholic World (New York) 203 (1966) 331—334 (engl. Teil-Übers. von Nr. 582).

1411 Vorbemerkungen zum Problem der religiösen Freiheit: K. Rahner - H. Maier - U. Mann - M. Schmaus: Religionsfreiheit. Ein Problem für Staat und Kirche (Theologische Fragen heute 9) (München 1966) 7—23.

1412 ○ Facit av Konciliet: Credo (Stockholm) 1966, 4. Heft, 165—171 (schwed. Übers. von Nr. 1295).

1413 Christlicher und marxistischer Humanismus: Neues Forum XIII (1966) Heft 154, 593—595.

1414 ○ L'Enseignement de Vatican II sur le diaconat et sa restauration: Le diacre dans l'église et le monde d'aujourd'hui, hrsg. von P. Winniger und Y. Congar (Unam Sanctam 59) (Paris 1966) 223—230.

1415 ○ Vaticano II: um Começo de Renovação (São Paulo 1966) (portug. Übers. von Nr. 1295).

1416 ○ Pluralismo e Dialogo: Sapienza (Napoli) 19 (1966) Heft 2, 137—149 (ital. Übers. von Nr. 1199).

1417 *Die vielen Messen und das eine Opfer. Eine Untersuchung über die rechte Norm der Meßhäufigkeit* (zus. mit A. Häussling OSB), 2. überarbeitete und erweiterte Auflage (Quaest. disp. 31) *(Freiburg i. Br. 1966)* (vgl. Nr. 217).

1418 Zur Geschichtlichkeit der Theologie: Integritas. Geistige Wandlung und menschliche Wirklichkeit, hrsg. von D. Stolte und R. Wisser. Festgabe für K. Holzamer (Tübingen 1966) 75—95.

1419 ○ Esperimenti dell'uomo su se stesso. Riflessioni teologiche sull'automanipulazione dell'uomo: Le conferenze dell'Associazione culturale italiana 1965 — 1966, fasc. 18 (Turin 1966) 95—117 (ital. Übers. von Nr. 1404).

1420 *Intellektuelle Redlichkeit und christlicher Glaube; Glaube und Wissenschaft* (zus. mit W. Dantine) *(Wien 1966)* 5—33 (vgl. Nr. 1334).

1421 ○ *Christian in the Market Place (New York 1966)* (engl. Teil-Übers. von Nr. 582).

1422 Unveränderlichkeit und Wandel im Glaubensverständnis in der Zeit des Konzils: Theologische Akademie I, hrsg. von K. Rahner - O. Semmelroth (Frankfurt ²1966) 74—98 (vgl. Nr. 1228).

1423 Die Wirklichkeit Gottes und das heutige Weltbild: Christsein in dieser Welt. Texte zum Verständnis unserer Zeit, ihrer Gestalten und Probleme. Für den Schulgebrauch zusammengestellt von J. Lehmann, H. Glaser (Frankfurt 1966) 3—12 (vgl. Nr. 874).

1424 Marxistische Utopie und christliche Zukunft des Menschen: R. Garaudy, J. B. Metz, K. Rahner: Der Dialog oder ändert sich das Verhältnis zwischen Katholizismus und Marxismus (Reinbek 1966) 9—25.

1425 *The Church after the Council (New York 1966)* (engl. Übersetzung von Nr. 1295, 1314, 1435).

1426 *Glaube, der die Erde liebt. Christliche Besinnung im Alltag der Welt* (Herder-Bücherei Bd. 266) *(Freiburg i. Br. 1966)* (enthält folgende Beiträge in chronologischer Ordnung: Nr. 87, 141, 162, 163, 165, 166, 167, 168, 193, 196, 215, 362, 409, 444, 492, 494, 515, 570, 627, 730, 837, 838, 867, 1204, 1222, 1266 und weitere 4 bisher unveröffentlichte Beiträge; insgesamt 30 Beiträge).

1427 *Vom Sinn des kirchlichen Amtes (Freiburg i. Br. 1966).*

1428 Sollen die Bischöfe den Papst wählen?: KNA-Dienst: Konzil — Kirche — Welt Nr. 47 (vom 3. 11. 66) 5.

1429 Frömmigkeit heute und morgen GuL 39 (1966) 326—342.

1430 ○ Il Papa sarà eletto dai vescovi?: Famiglia cristiana 36 (1966) Nr. 46 (13. 11. 66) 11 (ital. Übers. von Nr. 1428).

1431 ○ *Marginales sobre la pobreza y la obediencia (Madrid [2]1966)* (vgl. Nr. 859).

1432 *Im Heute glauben* (theol. Meditationen 9) *(Einsiedeln [3]1966)* (vgl. Nr. 1142, 1327).

1433 ○ *Visions and Prophecies (New York [4]1966)* (vgl. Nr. 900, 957, 1108).

1434 ○ *The Episcopate and the Primacy* (zus. mit. J. Ratzinger) *(New York [4]1966)* (vgl. Nr. 811, 843, 934).

1435 Kirchliches Lehramt und Theologie nach dem Konzil: StdZ 178 (1966) 404—420.

1436 ○ *Écrits théologiques VI (Paris 1966)* (franz. Teil-Übers. aus Nr. 423, 642, 804).

1437 Intellektuelle Redlichkeit und christlicher Glaube: Glauben — Hoffen — Brüderlichkeit. Gespräch auf dem Weg zum Glauben. Studententag katholischer neustudentischer Gemeinschaften, Darmstadt, Pfingsten 1966 (Frankfurt 1966) 40—51 (vgl. Nr. 1334).

1438 ○ The Life of the Counsels: Theology Digest (St. Mary's/Kansas) XIV (1966) Nr. 3, 224—227 (engl. Übers. von Nr. 978).

1439 *Kleines Konzilskompendium* (zus. mit H. Vorgrimler). *Alle Konstitutionen, Dekrete und Erklärungen des Zweiten Vaticanums in der bischöflich genehmigten Übersetzung* (Herder-Bücherei Bd. 270—273) *(Freiburg i. Br. 1966).*

1440 *Schriften zur Theologie VII (Zur Theologie des geistlichen Lebens) (Einsiedeln 1966)* (enthält chronologisch geordnet, teilweise überarbeitet folgende Beiträge: Nr. 232, 316, 328, 352, 358, 406, 414, 428, 452, 503, 513, 575, 589, 633, 648, 650, 651, 744, 778, 809, 834, 870, 884, 978, 1037, 1069, 1121, 1132, 1140, 1226, 1253, 1256, 1334, 1393, 1429: bisher unveröffentlicht: Friede auf Erden; Zur Situation des katholischen Intellektuellen; insgesamt 37 Beiträge).

1441 Über die Gegenwart Christi in der Diasporagemeinde nach der Lehre des II. Vatikanischen Konzils: Lebendiges Zeugnis 1966 Heft 2—4 (Festgabe für Lorenz Kard. Jaeger zum 25jährigen Bischofsjubiläum) 32—45.

1442 ○ The Church after the Council: U. S. Catholic (Chicago) 32 (1966) Nr. 7, 19—22 (Abdruck aus Nr. 1425).

1443 Wir nach dem Konzil: Stellaner Nachrichten 12 (1966) August, 3—14.

1444 Geistliche Bilanz eines Jahres: Civitas 22 (1966) Heft 4, 245—247 (vgl. Nr. 492).

1445 Christliche und marxistische Zukunft: Neues Forum XIII (1966) Heft 155—156, 694—697.

1446 ○ *L'homme au miroir de l'année chrétienne (Paris 1966)* (franz. Übers. von Nr. 310).

1447 Frömmigkeit heute und morgen: Glaube — Wissen — Bildung. Eine Schriftenreihe der katholischen Studentengemeinde St. Fidelis/Freiburg i. Br.. Vorträge Nr. II/28 vom 24. 11. 66 (vgl. Nr. 1429).

1448 Der Mensch mit dem durchbohrten Herzen: Korrespondenzblatt des PGV im Canisianum zu Innsbruck 101 (1966/67) Heft 1—2, 19—27.

1449 Öffnung zur Wissenschaft. Das Verhältnis des Intellektuellen zur Kirche nach dem Konzil: Wort und Wahrheit XXI (1966) 755—765.

1450 ○ *Theological Investigations IV (More recent writings) (Baltimore — London 1966)* (engl. Übers. von Nr. 642).

1451 Vom Geheimnis der Heiligkeit, der Heiligen und ihrer Verehrung: Die Heiligen in ihrer Zeit I, hrsg. von P. Manns (Mainz 1966) 9—26.

1452 Das eigene Zeugnis: Die Presse (Wien) vom 24./25. 12. 66. Beilage Spectrum 3.

1453 ○ Theology and Anthropology: The Word in History. The St. Xavier's Symposium, ed. by. Patrick Burke (New York 1966) 1—23 (engl. Übers. von Nr. 1612).

1454 Christentum als Religion der absoluten Zukunft: Christentum und Marxismus heute. Gespräche der Paulusgesellschaft II, hrsg. von E. Kellner (Wien 1966) 202—213. Diskussionsbeiträge: 214—215, 215—216, 217, 233—234, 237—238, 310, 325.

1455 ○ At a First Mass: Sheed and Ward's own Trumphet, Nr. 82 Christmas 1966, 1—2 (engl. Übers. im Auszug aus 582).

1456 ○ *Biblical Homilies (New York 1966)* (engl. Übers. von Nr. 1198).

1457 ○ *Episcopato e Primato* (zus. mit J. Ratzinger) *(Brescia 1966)* (ital. Übers. von Nr. 736).

1458 ○ La femme dans la situation nouvelle de l'église: La femme dans le nouveau départ de l'église, hrsg. von O. Brachfeld, U. Ranke-Heinemann, E. Gössmann (Toulouse 1966) 101—107 (franz. Übers. von Nr. 1004).

1459 ○ *Biblical Homilies (New York ²1966)* (vgl. Nr. 1456).

1460 ○ Cristianismo e religiões não-cristãs: Igreja, fé e missão. Temas Conciliares V. — Círculo do Humanismo Cristão. Textos publicados pelo Documentatie Centrum Concilie (Lissabon 1966) 221—229 (portug. Übers. von Nr. 1593).

1461 ○ Para uma teologia da paróquia: Novas estruturas na igreja. Temas Conciliares IV. — Círculo do Humanismo Cristão. Textos publicados pelo Documentatie Centrum Concilie (Lissabon 1966) 211—218 (portug. Übers. von Nr. 437).

1462 ○ The Unity of Spirit and Matter: A Christian Understanding: Man before God. Toward a Theology of Man. Readings in Theology, compiled at the Canisianum/Innsbruck (New York 1966) 25—51 (engl. Übers. von Nr. 930).

1463 Verus Pastor — Vom Sinn kirchlicher Hierarchie: Über das bischöfliche Amt. Festakademie anläßlich des 60. Geburtstags seiner Exzellenz des hochw. Herrn Erzbischofs von Freiburg DDr. Hermann Schäufele, hrsg. von Paolo Card. Marella, Klaus Mörsdorf, Wolfgang Müller, Karl Rahner (Veröffentlichungen der Kath. Akademie der Erzdiözese Freiburg Nr. 4) (Karlsruhe 1966) 65—81.

1464 ○ *Bijbelse overwegingen (Hilversum-Antwerpen 1966)* (niederländ. Übers. von Nr. 1198).

1465 In Via: Werkblatt des schweizerischen Verbandes Pro Filia 54 (1966) Heft 8, 183—185 (Auszug aus Nr. 1038).

1466 ○ *Misión y gracia I: El siglo XX. Siglo de gracia (San Sebastián 1966)* (span. Teil-Übers. von Nr. 582).

1467 ○ La comunión espiritual: Palabra Nr. 15 (1966) Noviembre, 8—10 (span. Übers. von Nr. 258).

1468 ○ Exégèse et dogmatique: Exégèse et dogmatique (Textes et Études Théologiques) (Paris 1966) 27—57 (franz. Übers. von Nr. 817).

1469 ○ Considérations dogmatiques sur la psychologie du christ: ebd. 185—210 (franz. Übers. von Nr. 818).

1470 ○ La problematica teologica d'una costituzione pastorale: La chiesa nel mondo contemporaneo. Commento alla costituzione pastorale „Gaudium et spes" (Brescia 1966) 61—83 (ital. Übers. von Nr. 1566).

1471 ○ Sinceridade intelectual e Fé Cristão: Itinerarium (Braga) XII (1966) 497—519 (portugies. Übers. von Nr. 1334).

1472 ○ *Cose d'ogni giorno* (Med. teol. 5) *(Brescia 1966)* (ital. Übers. von Nr. 1038).

1473 ○ Kerk in de Visie van Vaticanum II: Christendom in wereld (Roermond 1966) 5—36 (niederländ. Übers. von Nr. 1295).

1474 ○ *Diccionario teológico* (zus. mit. H. Vorgrimler) *(Barcelona 1966)* (span. Übers. von Nr. 720).

1475 ○ *Sur le mariage (Paris 1966)* (franz. Übers. von Nr. 461).

1476 ○ *Sur le baptême (Paris 1966)* (franz. Übers. von Nr. 459).

1477 ○ *Sur le sacrement des malades (Paris 1966)* (franz. Übers. von Nr. 1233).

1478 ○ *Sur la profession religieuse (Paris 1966)* (franz. Übers. von Nr. 496).

1479 ○ Ecclesiologische Fundering van de Pastoraaltheologie: ecclesiologische onderbouw: Handboek van de pastoraal-theologie I (Hilversum-Antwerpen 1966) 143 (niederländ. Übers. von Nr. 1044).

1480 ○ Het fundamentele wezen der Kerk: ebd. 143—146. (niederländ. Übers. von Nr. 1045).

1481 ○ De Kerk als aanwezigheid van Gods waarheid en liefde: ebd. 146—162 (niederl. Übers. von Nr. 1046).

1482 ○ De formele eigenschappen van de Kerk als tegenwoordigheid van Gods zelfmededeling als waarheid en liefde: ebd. 162—180 (niederländ. Übers. von Nr. 1047).

1483 ○ De materiëele hoofdonderscheiding in de Kerk: volk Gods en hiërarchie: ebd. 180—187 (niederländ. Übers. von Nr. 1048).

1484 ○ De dragers van de zelfontplooiing der kerk: ebd. 188 (niederländ. Übers. von Nr. 1049).

1485 ○ De hele Kerk als subjekt van heilsbemiddelende activiteit: ebd. 188—190 (niederländ. Übers. von Nr. 1050).

1486 ○ De verscheidenheid in de functie van elk lid der Kerk: ebd. 190—192 (niederländ. Übers. von Nr. 1051).

1487 ○ Ambt en vrij charisma: ebd. 193—200 (niederländ. Übers. von Nr. 1052).

1488 ○ De geleding van het ene ambt der Kerk: ebd. 200—210 (niederl. Übers. von Nr. 1053).

1489 ○ Bisschop en bisdom: ebd. 210—226 (niederländ. Übers. von Nr. 1054).

1490 ○ Het presbyterium en de afzonderlijke priesters: ebd. 226—230 (niederländ. Übers. von Nr. 1055).

1491 ○ De parochie: ebd. 234—240 (niederländ. Übers. von Nr. 1056)

1492 ○ Diaconaat en diaken: ebd. 240—244 (niederländ. Übers. von Nr. 1057).

1493 ○ Paus en romeins centraal bestuur: ebd. 244—274 (niederländ. Übers. von Nr. 1058).

1494 ○ Theologische en pastoraaltheologische beschouwingen vooraf: De wezensfuncties van de Kerk: Handboek van de pastoraal-theologie II (Hilversum-Antwerpen 1966) 13—18 (niederländ. Übers. von Nr. 1059).

1495 ○ De verkondiging van het woord: ebd. 18—30 (niederl. Übers. von Nr. 1060).

1496 ○ De sacramenten als wezensfunctie van de Kerk: ebd. 149—162 (niederl. Übers. von Nr. 1061).

1497 ○ De kerkelijke discipline: Principiële punten: ebd. 162—176 (niederl. Übers. von Nr. 1062).

1498 Die Antwort der Religionen auf 31 Fragen von Gerhard Szczesny (Gütersloh 1966) 164—166, 175—177, 185, 190—191, 197—199, 203—204, 211—212, 217—218, 232—234, 246—247, 253—254, 258—259, 268—269, 273—274, 278—280, 285—286, 293—295, 301—302, 310 (vgl. Nr. 1018).

1499 *Biblische Predigten (Freiburg i. Br.* ^{3}1966) (vgl. Nr. 1198, 1296).

1500 ○ *El año litúrgico (Barcelona 1966)* (span. Übers. von Nr. 310).

1501 *Das Konzil — ein neuer Beginn (Freiburg i. Br.* ^{2}*1966)* (vgl. Nr. 1295).

1502 ○ *Vom Sinn des kirchlichen Amtes (Tokio 1966)* (japan. Übers. von Nr. 1427).
1503 ○ *Het leven volgens de Evangelische Raden (Antwerpen 1966)* (niederländ. Übers. von Nr. 978).
1504 ○ The Task of Theology after the Council: Vatican II. An Interfaith Appraisal. International Theological Conference. University of Notre Dame: March 20—26, 1966. Ed. by John H. Miller CSC (Notre Dame — London 1966) 589—598, 599—608.
1505 *Gegenwart des Christentums* (Herder-Bücherei Bd. 161) *(Freiburg i. Br. ²1966)* (vgl. Nr. 926).
1506 *Sendung und Gnade (Innsbruck ⁴1966)* (vgl. Nr. 582, 719).

1967

1507 Priester und Herz-Jesu-Verehrung: Der Sendbote des Herzens Jesu 97 (1967) 4—6.
1508 Mission dringlicher denn je!: Die katholischen Missionen 86 (1967) Heft 1, 3—4 (Auszug aus Nr. 1367).
1509 ○ Das Lehramt und die Theologie: Wiez Nr. 4/1967 (poln. Übers. von Nr. 1435).
1510 ○ *Biblical Homilies (New York ³1967)* (vgl. Nr. 1456, 1459).
1511 ○ *The Christian of the Future (London 1967)* (engl. Auswahl-Übers. von Nr. 1135, 1161, 1189, 1319).
1512 Vom Dialog in der Kirche: StdZ 179 (1967) 81—85.
1513 Priester und Herz-Jesu-Verehrung: Der Sendbote des Herzens Jesu 97 (1967) 27—28 (Fortsetzung von Nr. 1507).
1514 ○ La lettera del Cardinale Ottaviani ai Vescovi: Famiglia Cristiana 33 (1967) 6, 15.
1515 Vorwort zu: Jörg Splett, Zeugnis der Freude. Theologische Meditationen über Worte der Schrift und Zeichen der Kunst (Würzburg 1967) 7.
1516 ○ *Science, évolution et pensée chrétienne. Théologie et sciences. Christologie et évolution. Préface de Henri de Lavalette et Christian d'Armagnac (Paris 1967)* (Franz. Auswahlübers. aus Nr. 333, 737, 794, 929, 930).
1517 „Gedenke, Mensch, daß du Staub bist...": GuL 40 (1967) 1—3.
1518 ○ Sarà concesso il matrimonio ai diaconi?: Famiglia cristiana 37 (1967) 9 (vom 26. 2. 67) 14—15.
1519 ○ Consumación del mundo inmanente o trascendente: Selecciones de Teología (Barcelona) 6 (1967) Heft 21, 105—114 (span. Übers. von Nr. 1783).
1520 Über die Einheit von Nächstenliebe und Gottesliebe: Theologisches Jahrbuch, hrsg. von A. Dänhardt (Leipzig 1967) 267—282 (vgl. Nr. 1165).
1521 Ideologie und Christentum: ebd. 9—21 (vgl. Nr. 1179).
1522 *Glaube, der die Erde liebt* (Herder-Bücherei Bd. 266) *(Freiburg i. Br. ²1967)* (vgl. Nr. 1426).

1523 Der Leib in der Heilsordnung: Der Leib und das Heil (zus. mit A. Görres) Probleme der praktischen Theologie IV (Festgabe für Weihbischof J. M. Reuss zum 60. Geburtstag) (Mainz 1967) 29—44.

1524 ○ *Elevazione sugli esercizi di S. Ignazio (Roma 1967)* (ital. Übers. von Nr. 1122).

1525 ○ *Homélies bibliques* (Collection L'Assemblée Chrétienne et l'Année liturgique) *(Mulhouse 1967)* (franz. Übers. von Nr. 1198).

1526 Kirche und Welt: Zehn Jahre Katholische Akademie in Bayern, hrsg. von der Katholischen Akademie in Bayern (Würzburg - München 1967) 9—27.

1527 Die Kirche und die säkulare Wissenschaft. Kontexte (Stuttgart) 4 (1967) 82—87 (vgl. Nr. 1425).

1528 *Worte ins Schweigen (Innsbruck [10]1967)* (vgl. Nr. 72, 102, 139, 154, 220, 346, 580, 941, 1131).

1529 ○ Introduction zu: R. Norths S. J., Teilhard and the Creation of the Soul (Milwaukee 1967) IX—XII.

1530 These 18: Nicht das Weltbild der modernen Wissenschaft vermag dem Dasein letztlich Sinn zu geben, sondern erst die glaubende Annahme der geschichtlich uns zugesprochenen Wahrheit Gottes: Warum glauben? Begründung und Verteidigung des Glaubens in 41 Thesen, hrsg. von W. Kern - G. Stachel (Würzburg [3]1967) 169—176.

1531 Das Christentum und die Zukunft: Darmstädter Gespräch. Der Mensch und seine Zukunft, hrsg. von K. Schlechta (Darmstadt 1967) 149—160. Diskussionsbeiträge 35—38, 173—176.

1532 Vorwort zu: Concilium 3 (1967) 3, 169—170 (und ebenso in allen fremdsprachigen Ausgaben).

1533 Zur Lehre des II. Vatikanischen Konzils über den Atheismus: Concilium 3 (1967) 171—180.

1534 Die Forderung nach einer „Kurzformel" des christlichen Glaubens: Concilium 3 (1967) 203—207.

1535 ○ De leer van Vaticanum II over het atheisme: Concilium 3 (1967) 3, 8—25 (niederländ. Übers. von Nr. 1533).

1536 ○ De behoefte aan een „beknopte formulering" van het christelijk geloof: Concilium 3 (1967) 3, 69—80 (niederländ. Übers. von Nr. 1534).

1537 ○ The Teaching of Second Vatican Council on Atheism: Concilium 3 (1967) 3, 5—13 (engl. Übers. von Nr. 1533).

1538 ○ In Search of a Short Formula for the Christian Faith: Concilium 3 (1967) 3, 36—42 (engl. Übers. von Nr. 1534).

1539 ○ L'insegnamento del concilio Vaticano II sull'ateismo: tentativo d'interpretazione: Concilium 3 (1967) 3, 19—39 (ital. Übers. von Nr. 1533).

1540 ○ Esigenza di una „formula sintetica" della fede cristiana: Concilium 3 (1967) 3, 86—97 (ital. Übers. von Nr. 1534).

1541 ○ La doctrine de Vatican II sur l'athéisme: Concilium 3 (1967) 23, 13—28 (franz. Übers. von Nr. 1533).

1542 ○ A la recherche d'un „abrégé" de la foi chrétienne: Concilium (1967) 23, 65—76 (franz. Übers. von Nr. 1534).

1543 ○ En torno a la doctrina del Vaticano II sobre el ateísmo: Concilium 3 (1967) 377—399 (span. Übers. von Nr. 1533).

1544 ○ La necesidad de una „fórmula breve" de la fe cristiana: Concilium 3 (1967) 450—464 (span. Übers. von Nr. 1534).

1545 ○ A doutrina do Vaticano II sõbre o ateísmo: Concilium 3 (1967) 3, 8—24 (portug. Übers. von Nr. 1533).

1546 ○ A exigência de uma „formula breve" da fé cristã: ebd. 62—73 (portug. Übers. von Nr. 1534).

1547 ○ Preface: The Pastoral Approach to Atheism (= Concilium, Vol. 23) (New Jersey 1967) 1—3 (engl. Übers. von Nr. 1532, amerik. Ausgabe).

1548 ○ What Does Vatican II Teach about Atheism?: ebd. 7—24 (engl. Übers. von Nr. 1533).

1549 ○ In Search of a Short Formula for the Christian Faith: ebd. 70—82 (engl. Übers. von Nr. 1534).

1550 ○ *Saggi di Cristologia e di Mariologia (Roma ^{2}1967)* (vgl. Nr. 1220).

1551 ○ *God bemint uw kind (Tielt — Den Haag 1967)* (niederländ. Übers. von Nr. 459).

1552 ○ L'honneur de Dieu toujours plus grand: Christus 14 (1967) 218—237 (franz. Übers. von Nr. 1393).

1553 ○ Sacramento del quotidiano: Monastica VIII (1967) 1, 11—16 (ital. Übers. von Nr. 778, 851).

1554 ○ *La fede della chiesa. Nei documenti del magistero ecclesiastico* (zus. mit J. Neuner - H. Roos) *(Roma 1967)* (ital. Übers. von Nr. 140).

1555 *Kleines theologisches Wörterbuch* (zus. mit H. Vorgrimler) (Herder-Bücherei Bd. 108/109) *(Freiburg i. Br. ^{6}1967)* (vgl. Nr. 720, 766, 899, 1005, 1196).

1556 Moderne Aszese: Civitas 22 (1967) 479—480 (vgl. Nr. 1598).

1557 Der Friede Gottes und der Friede der Welt: W. Beck - R. Schmid (Hrsg.), Streit um den Frieden (Mainz - München 1967) 64—85.

1558 *Vom Glauben inmitten der Welt* (Herder-Bücherei Bd. 88) *(Freiburg i. Br. ^{4}1967)* (vgl. Nr. 678, 797, 1067).

1559 ○ Verschiedene Beiträge in: Meditations on the church. Bases on the constitution on the church. Introduction by John A. Wright (New York 1967) 15—17, 68—71, 91—93, 104—107, 136—138, 183—184.

1560 Der Zölibat des Weltpriesters im heutigen Gespräch. Ein offener Brief: GuL 40 (1967) 122—138.

1561 Beitrag zu „Protest des Gewissens". 450 Jahre Reformation, hrsg. vom Evangelischen Forum für Literatur und Bildende Kunst der Gegenwart (Berlin 1967) 11—12.

1562 ○ *Sull'ispirazione della Sacra Scrittura (Brescia 1967)* (ital. Übers. von Nr. 488).

1563 ○ *Vivre et croire aujourd'hui* (Méd. théologiques 2) *(Paris 1967)* (franz. Übers. von Nr. 1038, 1142).

1564 ○ *Écrits théologiques VII (Paris 1967)* (franz. Auswahl-Übers. von Nr. 804, 1250).

1565 ○ *Prediche bibliche (Roma 1967)* (ital. Übers. von Nr. 1198).

1566 Zur theologischen Problematik einer „Pastoralkonstitution": Volk Gottes. Zum Kirchenverständnis der katholischen, evangelischen und anglikanischen Theologie, hrsg. von R. Bäumer - H. Dolch. Festgabe für J. Höfer (Freiburg i. Br. 1967) 683—703.

1567 ○ La problematica teologica d'una costituzione pastorale: La Chiesa nel mondo contemporaneo. Commento alla costituzione pastorale „Gaudium et spes" (Brescia ²1967) 61—82 (vgl. Nr. 1470).

1568 Naturwissenschaft und Theologie: Christophorus 12 (1967) Nr. 2, 14—26.

1569 Einheit von Geist und Materie: Neues Forum XIV (1967) Heft 160—161, 337—340.

1570 Abenteuerlicher Mut: ebd. 320.

1571 Frömmigkeit morgen: Academia 18 (1967) Heft 7, 12—15 (Teilabdruck aus Nr. 1598).

1572 Beitrag zu „Demokratie und Eigentum" (Dialog der Paulusgesellschaft, Salzburg 1965): Dialog 2 (1967) Heft 2, 1—2.

1573 An einen besorgten Katholiken: Oberrheinisches Pastoralblatt 68 (1967) 129—132.

1574 ○ Réflexions sur la problématique théologique d'une Constitution pastorale: L'église dans le monde de ce temps. Constitution „Gaudium et spes". Commentaire du schéma XIII von K. Rahner, H. de Riedmatten, etc. (Paris 1967) 13—42 (franz. Übers. von Nr. 1566).

1575 ○ Les hommes devant la croix: Ecclesia (Paris) Lectures chrétiennes Nr. 216, Mars 1967, 59—70 (franz. Teilübers. von Nr. 1122).

1576 ○ *Faith Today* (theol. meditations 9) *(London-Melbourne 1967)* (engl. Übers. von Nr. 1142).

1577 An einen ungeduldigen Katholiken: Oberrheinisches Pastoralblatt 68 (1967) 161—164.

1578 Erbsünde und Evolution: Concilium 3 (1967) 459—465.

1579 ○ Evolution and original sin: Concilium 3 (1967) Nr. 6, 30—35 (engl. Übers. von Nr. 1578).

1580 ○ Erfzonde en evolutie: Concilium 3 (1967) 6, 57—69 (niederländ. Übers. von Nr. 1578).

1581 ○ Peccato originale ed evoluzione: Concilium 3 (1967) 6, 73—87 (ital. Übers. von Nr. 1578).

1582 ○ Pecado original e evolução: Concilium 3 (1967) 6, 53—65 (portug. Übers. von Nr. 1578).

1583 ○ Pecado original y evolución: Concilium 3 (1967) 400—414 (span. Übers. von Nr. 1578).

1584 ○ Péché originel et évolution: Concilium (1967) Nr. 26, 57—69 (franz. Übers. von Nr. 1578).

1585 ○ Evolution and Original Sin: The Evolving World and Theology (= Concilium Vol. 26) (New Jersey 1967) 61—74 (engl. Übers. von Nr. 1578).

1586 ○ *Theological Investigations III: The Theology of the Spiritual Life (Baltimore - London 1967)* (engl. Übers. von 423).

1587 ○ *Biblical Homilies (Dublin - London ⁴1967)* (vgl. Nr. 1456, 1459, 1510).

1588 ○ The Unity of Love of God and Love of Neighbor: Theology Digest (St. Mary's/Kansas) XV (1967) 87—93 (engl. Übers. von Nr. 1165).

1589 Wort der Besinnung: Mutter vom Guten Rat (Werkblatt des schweizerischen Verbandes Pro Filia) 55 (1967) 53—57.

1590 ○ Comment to: „The Incarnate Word and Human Solidarity": World. Vatican II's Pastoral Constitution on the Church in the modern World, Part I. The Church and Man's Calling (Chicago 1967) 63.

1591 ○ Cristianesimo ed umanesimo: L. Fabbri, K. Rahner, J. B. Metz, G. Girardi, Cristiani e marxisti: Dialogo per il futuro (Roma 1967) 49—72.

1592 Kirchenlehre des Konzils und künftige Wirklichkeit des Christen: Autorität der Freiheit. Gegenwart des Konzils und Zukunft der Kirche im ökumenischen Disput I, hrsg. von J. Chr. Hampe (München 1967) 344 bis 359.

1593 Christentum und nichtchristliche Religionen: ebd. III, 568—573.

1594 ○ *Magistero e teologia dopo il concilio (Brescia 1967)* (ital. Übers. von Nr. 1435).

1595 Die Ehe als Sakrament: GuL 40 (1967) 177—193.

1596 ○ Il concilio Vaticano II: Einleitung zu: I documenti del Concilio Vaticano II (Testo latino-italiano) (Documenti complementari e normativi) (Roma 1967) I—XXII.

1597 Missionsland Deutschland?: Die katholischen Missionen 86 (1967) 117 bis 118 (vgl. Nr. 1373).

1598 Alte und neue Frömmigkeit: Theologische Akademie IV, hrsg. von K. Rahner — O. Semmelroth (Frankfurt 1967) 9—28.

1599 *Glaube, der die Erde liebt. Christliche Besinnung im Alltag der Welt* (Herder-Bücherei Bd. 266) *(Freiburg i. Br. ³1967)* (vgl. Nr. 1426, 1522).

1600 Der Mensch mit dem durchbohrten Herzen: Korrespondenzblatt der Unio Apostolica (Münster) VIII (1967) Juli, 5—7 (vgl. Nr. 1448).

1601 ○ *Tu sei il silenzio* (Meditazioni teologiche 5) *(Brescia ³1967)* (vgl. Nr. 436, 630).

1602 ○ Chrzescijanie jutra: Tygodnik Powszchny Katolicki pismo speleczno-kulturalne XXI (1967) Nr. 29 (16. 7. 67) 1—3 (poln. Übers. von Nr. 1314).

1603 ○ Dialog Judaizmu z Chrescijnstwem (zus. mit F. G. Friedman): Znak XIX (1967) (Krakau) Nr. 153, 374—390 (poln. Übers. von Nr. 1390).

1604 ○ *Glaube, der die Erde liebt (Tokio 1967)* (japan. Übers. von Nr. 1426).

1605 ○ Principes de base de la mission d'aujourd'hui: Spiritus VIII (1967) Nr. 30, 25—39 (franz. Teil-Übers. von Nr. 1371—1376).

1606 Zur Erneuerung des Diakonats in Deutschland (zus. mit H. Vorgrimler, J. Kramer): StdZ 180 (1967) 145—153.

1607 ○ Magisterio eclesiástico y teología postconciliares: Selecciones de Teología (Barcelona) 6 (1967) Nr. 24, 245—251 (span. Übers. von Nr. 1435).

1608 *Schriften zur Theologie III. Zur Theologie des geistlichen Lebens (Einsiedeln [7]1967)* (vgl. Nr. 423, 463, 597, 752, 806, 1075).

1609 *Schriften zur Theologie IV. Neuere Schriften (Einsiedeln [5]1967)* (vgl. Nr. 642, 846, 968, 1077).

1610 ○ *Éléments dynamiques dans l'Église (Paris 1967)* (franz. Übers. von Nr. 535).

1611 ○ Over de theologische problematiek van een „pastorale constitutie": Schema dertien. Tekst en commentaar: J. Y. Calvez, M. D. Chenu, K. Rahner, E. Schillebeeckx u. a.: Vaticanum II, Nr. 2. De kerk in de wereld van deze tijd (Hilversum - Antwerpen 1967) 315—336.

1612 Theologie und Anthropologie: Wahrheit und Verkündigung. Michael Schmaus zum 70. Geburtstag, hrsg. von L. Scheffczyk, W. Dettloff, R. Heinzmann (München - Paderborn - Wien 1967) 1389—1407.

1613 Ablaß: Sacramentum mundi. Theologisches Lexikon für die Praxis I, hrsg. von K. Rahner und A. Darlap (Freiburg i. Br. 1967) 20—33.

1614 Altes Testament: ebd. 101—108.

1615 Angelologie: ebd. 146—154.

1616 Anschauung Gottes: ebd. 159—163.

1616a Anthropologie III. Theologische: ebd. 176—186.

1617 Atheismus: ebd. 372—383.

1618 Auferstehung Jesu I.: Vorüberlegungen: ebd. 403—405.

1619 Auferstehung Jesu III: Der fundamentaltheologische Aspekt der Auferstehung Jesu 2. Die Auferstehungserfahrung der Jünger und des Menschen überhaupt im ganzen des Daseinsverständnisses: ebd. 416—420.

1620 Auferstehung Jesu IV.: Zur Theologie der Auferstehung Jesu: ebd. [420—425.

1621 Buße: ebd. 653—655.

1622 Buß-Sakrament: ebd. 655—679.

1623 Christentum: ebd. 720—744.

1624 Dialog und Zusammenarbeit zwischen den Kirchen: ebd. 874—879.

1625 Disposition: ebd. 906—909.

1626 Dogma: ebd. 909—917.

1627 Dogmatik: ebd. 917—924.

1628 Dogmengeschichte: ebd. 936—947.

1629 Engel: ebd. 1038—1046.

1630 Erbsünde: ebd. 1104—1117.

1631 Erlösung: ebd. 1159—1176.

1632 Eschatologie: ebd. 1183—1192.

1633 Evolution, Evolutionismus II: Theologisch: ebd. 1251—1262.

1634 Existential II: Theologische Anwendung: ebd. 1298—1300.

1635 ○ *La Iglesia y los Sacramentos (Barcelona ²1967)* (vgl. Nr. 847).

1636 ○ El celibato del sacerdote secular hoy: Mensaje (Santiago de Chile) XVI (1967) Nr. 162, 448—455 (span. Übers. von Nr. 1560).

1637 „Ich glaube an Jesus Christus, Gottes eingeborenen Sohn, unsern Herrn": G. Rein (Hrsg.), Das Glaubensbekenntnis. Aspekte für ein neues Verständnis (Stuttgart 1967) 20—23.

1638 ○ Naar een volwassen kerkelijk leven (Pastorele cahiers 26) (Hilversum 1967) (niederländ. Teil-Übers. von Nr. 1250, 1440, 1512, 1670).

1639 ○ Lettera aperta sul celibato (Med. teologiche 11) (Brescia 1967) (ital. Übers. von Nr. 1560).

1640 ○ Kerygma en dogma (zus. mit K. Lehmann): Mysterium salutis III (Hilversum 1967) 178—295 (niederländ. Übers. von Nr. 1282).

1641 ○ Het probleem van de dogma-ontwikkeling: ebd. 323—390 (niederländ. Übers. von Nr. 1283).

1642 ○ De betekenis van de dogmageschiedenis: ebd. 390—403 (niederländ. Übers. von Nr. 1284).

1643 *Laudatio auf Erich Przywara und Josef Joachim Menzel bei der Verleihung des Oberschlesischen Kulturpreises 1967 am 16. 9. 67 in Düsseldorf (Bonn 1967).*

1644 Theologie und Anthropologie: Künftige Aufgaben der Theologie, hrsg. von T. Patrick Burke (München 1967) 31—60 (vgl. Nr. 1612).

1645 ○ *Uditori della parola (Torino 1967)* (ital. Übers. von Nr. 904).

1646 *Kleines Konzilskompendium* (zus. mit H. Vorgrimler) (Herder-Bücherei Bd. 270—273) *(Freiburg i. Br. ²1967)* (vgl. Nr. 1439).

1647 ○ *Kleines Konzilskompendium* (zus. mit H. Vorgrimler) *(Tokio 1967)* (japan. Übers. von Nr. 1439).

1648 Der Glaube des Priesters heute: GuL 40 (1967) 269—285.

1649 ○ *Il Sacerdote e la fede d'oggi* (Med. teol. 8) *(Brescia 1967)* (ital. Übers. von Nr. 1648).

1650 *Kleines Konzilskompendium* (zus. mit H. Vorgrimler) (Herder-Bücherei Bd. 270—273) *(Freiburg i. Br. ³1967)* (vgl. Nr. 1439, 1646).

1651 Mitarbeit an der „Neuen Erde": Neues Forum 14 (1967) Heft 106, 683—687.

1652 Anmerkungen zur Reformation: StdZ 180 (1967) 228—235.

1653 Auszüge aus der Laudatio für die Träger des Oberschlesischen Kulturpreises 1967: Unser Oberschlesien 17 (1967) Nr. 20 (vom 19. 10. 67) 3 (vgl. Nr. 1643).

1654 Die große Freude: Die Weihnachtskrippe (Köln) XXXIV (1967) 9—10.

1655 ○ Non cè poco tempo a messa dopo la communione?: Famiglia Cristiana 37 (1967) Nr. 43 (22. 10. 67) 23.

1656 ○ Christian Humanism: Journal of Ecumenical Studies, Vol. 4 (1967) Nr. 3, 369—384 (engl. Übers. von Nr. 1667).

1657 Christus ut exemplar oboedientiae clericalis: Seminarium 19, Neue Serie 7, Nr. 3 465—479.

1658 *Kleines Konzilskompendium* (zus. mit H. Vorgrimler) (Arbeitsausgabe mit Schreibrand) *(Freiburg i. Br. 1967)* (vgl. Nr. 1439).

1659 ○ *Belief Today* (theol. meditations) *(New York 1967) (engl. Übers.* von Nr. 1038, 1142, 1334).

1660 ○ Cristo soffre nella messa?: Famiglia cristiana XXXVII (1967) Nr. 41 (vom 8. 10. 67) 22.

1661 ○ Vorwort zu J. B. Metz, L'avent de Dieu (Mapris 1967) 10—14.

1662 ○ Invariabilidad y cambio en la inteligencia de la fe en tiempo del concilio: K. Rahner - O. Semmelroth (Hrsg.), Academia teológica I (Salamanca 1967) 105—137 (span. Übers. von Nr. 1228).

1663 ○ *The Church and the Sacraments (London* [6]*1967)* (vgl. Nr. 880, 969, 993, 1076, 1340).

1664 ○ Iglesia, iglesias y religiones: K. Rahner - O. Semmelroth (Hrsg.), Academia teológica III (Salamanca 1967) 99—123 (span. Übers. von Nr. 1408).

1665 *Knechte Christi. Meditationen zum Priestertum (Freiburg i. Br. 1967)* (das Buch enthält chronologisch geordnet und überarbeitet folgende Beiträge: Nr. 131, 134, 245, 265, 354, 456, 835, 1311, 1448, 1560, 1648, 1657; bisher unveröffentlicht: Die Priesterbeichte; Gebet um den rechten Geist des Priestertums Christi; insgesamt 14 Beiträge).

1666 ○ *Een nieuwe spiritualiteit. Meditaties over het geestelijk leven (Hilversum 1967)* (niederländ. Teil-Übers. von Nr. 1440).

1667 Christlicher Humanismus: Menschliche Existenz und moderne Welt. Ein internationales Symposion zum Selbstverständnis des heutigen Menschen. Hrsg. und mitverfaßt von R. Schwarz. Teil I.: Bildung, Kultur, Existenz (Berlin 1967) 131—148.

1668 Die Bedeutung Luthers für beide Konfessionen (zus. mit Bischof Lilje): Schwäbische Zeitung Nr. 250 (1967) vom 28. 10. 67, Wochenendbeilage (vgl. Nr. 1652).

1669 Das synodale Prinzip: K. Rahner — M. v. Galli — O. Baumhauer, Reformation aus Rom. Die katholische Kirche nach dem Konzil (Tübingen 1967) 19—28.

1670 Über die Gegenwart des Herrn in der christlichen Kultgemeinde. Versuch einer theologischen Synthese: Die Neue Gemeinde, hrsg. von A. Exeler. Festschrift für Theodor Filthaut (Mainz 1967) 11—22.

1671 An besorgte katholische Priester und Laien: Nunc et semper. Eine katholische Korrespondenz für Kirche und Papsttum (München) November 1967, Heft 6a, 6—11.

1672 An einen ungeduldigen Katholiken: Pastorales Forum für die Seelsorger im Erzbistum München - Freising 4 (1967) Heft 5, 7—11 (vgl. Nr. 1577).

1673 An einen besorgten Katholiken: ebd. 3—7 (vgl. Nr. 1573).

1674 ○ *María, Madre del Señor (Barcelona 1967)* (span. Übers. von Nr. 416).
1675 Vorwort zu: L. Roberts, The Achievement of Karl Rahner (New York 1967) VII—VIII.
1676 Anständig über Gräben, Rezension von J. Ch. Hampe „Die Autorität der Freiheit“: Der Spiegel 21 (1967) Nr. 47 (13. 11. 67) 194—196.
1677 ○ *Écrits théologiques VIII (Paris 1967)* (franz. Auswahl-Übers. aus Nr. 642).
1678 *Schriften zur Theologie I (Einsiedeln ⁸1967)* (vgl. Nr. 337, 442, 511, 640, 750, 810, 1071, 1678).
1679 Zur Theologie der Freiheit: O. B. Roegele (Hrsg.), Die Freiheit des Westens (Graz 1967) 11—40.
1680 ○ *Sull'eucaristia* (Med. teol. 13) *(Brescia 1967)* (ital. Übers. von Nr. 591).
1681 ○ *Sull'unzione degli infermi* (Med. teol. 9) *(Brescia 1967)* (ital. Übers. von Nr. 1233).
1682 ○ *Sulbattesimo* (Med. teol. 8) *(Brescia 1967)* (ital. Übers. von Nr. 459).
1683 ○ *Sulla professione religiosa* (Med. teol. 10) *(Brescia 1967)* (ital. Übers. von Nr. 496).
1684 *Glaubst Du an Gott?* (hrsg. von O. Karrer) *(München 1967)*, (Auswahl aus Nr. 423, 642, 804, 1250).
1665 ○ Das Lehramt und die Theologie: Wiez 1967, Nr. 4 (poln. Übers. von Nr. 1435).
1686 ○ Vom Dialog in der Kirche: Znak 1967/Nr. 154 (poln. Übers. von Nr. 1512).
1687 *Meditationen zum Kirchenjahr (Leipzig 1967)* (enthält folgende Beiträge: Nr. 352, 358, 427, 452, 510, 698, 722, 812; ferner Auszüge aus Nr. 170, 416, 1198, 1426).
1688 Ärztliche Ethik: Fortschritt der Medizin 85 (1967) Nr. 24 (vom 21. 12. 67) 1029—1030.
1689 Zur heutigen kirchenamtlichen Ablaßlehre: Catholica 21 (1967) Nr. 4, 261—268.
1690 Christlicher Humanismus: Dokumente der Paulusgesellschaft, Bd. XVII (1967) 110—127. Diskussion zum Vortrag: 133—134, 137; Diskussion zum Vortrag von Prof. H. Thielecke: 194—195.
1691 ○ Carta Aberta sôbre o Celibato do Padre Secular nas Conjunturas Atuais: Revista ecclesiastica Brasilieira XXVII (1967) 3, 642—655 (portug. Übers. von Nr. 1560).
1692 ○ *Oyente de la palabra (Fundamentos para una filosofía de la religión) (Barcelona 1967)* (span. Übers. von Nr. 904).
1693 ○ Piedad ayer y hoy: K. Rahner - O. Semmelroth (Hrsg.), Academia teológica IV (Salamanca 1967) (span. Übers. von Nr. 1598).
1694 ○ *Homélies bibliques (Mulhouse ²1967)* (vgl. Nr. 1525).
1695 ○ *Sôbre a inspiração bíblica (São Paulo 1967)* (portug. Übers. von Nr. 488).
1696 ○ *The Teaching of the Catholic Church. As Contained in Her Docu-*

ments, by J. Neuner, H. Roos, ed. by K. Rahner (London - Dublin 1967) (engl. Übers. von Nr. 140).

1697 ○ Christianity and the New Earth: Theology Digest (St. Mary's/ Kansas) XV (1967) 275—282 (engl. Übers. von Nr. 1651).

1698 *Schriften zur Theologie VIII (Einsiedeln 1967)* (Der Band enthält chronologisch geordnet und teilweise erweitert folgende Beiträge: Nr. 370, 1314, 1316, 1332, 1404, 1408, 1418, 1425, 1435, 1441, 1512, 1531, 1533, 1534, 1557, 1566, 1595, 1612, 1637, 1651, 1667, 1670, 1689, 1703, 1705, 1708, 1721, 1772, 1783, 1793, 1858; bisher unveröffentlicht: Zum Problem der genetischen Manipulation; Das Sakrament der Buße als Sakrament der Wiederversöhnung mit der Kirche; insgesamt 34 Beiträge).

1699 ○ On Visiting the Blessed Sacrament: The Eucharist Today. Essays on the Theology and Worship of the Real Presence, ed. by R. A. Tartre (New York 1967) 192—207 (engl. Übers. von Nr. 603).

1700 ○ *Teologia della povertà* (Punti scottanti di teologia 6) *(Roma 1967)* (ital. Übers. von Nr. 651).

1701 ○ *Homiliario Bíblico (Barcelona 1967)* (span. Übers. von Nr. 1198).

1702 ○ *Teología y ciencias naturales,* hrsg. von P. J. Aguirre *(Madrid 1967)* (span. Übers. von Nr. 929, 930, 794).

1703 Zum Verhältnis zwischen Papst und Bischofskollegium: Euntes docete. Miscellania in honorem Petri Card. Parente (Roma 1967) 41—57.

1704 ○ *I documenti del concilio Vaticano II* (zus. mit H. Vorgrimler) *(Roma 1967)* (ital. Übers. von Nr. 1439).

1705 Praktische Theologie und kirchliche Sozialarbeit. Caritas (Zeitschrift des Schweizerischen Caritasverbandes) 45 (1967).

1706 ○ Ideologie und Christentum: Concilium 1 (1967) 65—91 (japan. Übers. von Nr. 1179).

1707 ○ *The Christian of the Future (New York ²1967)* (vgl. Nr. 1511).

1708 *Der eine Mittler und die Vielfalt der Vermittlungen* (Veröffentlichungen des Instituts für Europäische Geschichte in Mainz, Vorträge 47) *(Wiesbaden 1967).*

1709 ○ Il valore della cose e la povertà del cristiano: Famiglia cristiana XXXVII (1967) Nr. 42, 22.

1710 ○ Was wurde erreicht: Das neue Bild der Kirche (Tokio 1967) 123 bis 143 (japan. Übers. von Nr. 1320).

1711 ○ *The Christian of the Future* (New York ³1967) (vgl. Nr. 1501, 1707).

1968

1712 ○ The Faith of the Priest Today: Jesuit Spirit in a Time of Change, ed. by R. A. Schroth S. J. (New York 1968) 43—51 (engl. Übers. von Nr. 1648).

1713 ○ Ignatian Spirituality and Devotion to the Sacred Heart: ebd. 53—68 (engl. Übers. von Nr. 384).

1714 ○ A. Basic Ignatian Concept: Some Reflections on Obedience: ebd. 123—141 (engl. Übers. von Nr. 435).

1715 ○ El matrimonio como sacramento: Selecciones de Teologia (Barcelona) 7 (1967) Heft 25, 127—134 (span. Übers. von Nr. 1595).

1716 ○ *Everyday Faith (New York 1968)* (engl. Übers. von Nr. 1426).

1717 ○ *Hominisation. The Evolutionary Origin of Man as a theological Problem (New York [3]1968)* (vgl. Nr. 1197, 1293).

1718 An einen besorgten Katholiken: Pastorale. Pastoralblatt der Diözese Augsburg 1968, Heft 2, 1—6 (vgl. Nr. 1573).

1719 An einen ungeduldigen Katholiken: ebd. 6—10 (vgl. Nr. 1577).

1720 ○ *The Christian of the Future (New York [4]1968)* (vgl. Nr. 1511, 1707, 1711).

1721 Zur Theologie der Hoffnung: Internationale Dialogzeitschrift 1 (1968) 67—78.

1722 Zur Neuordnung der theologischen Studien: StdZ 181 (1968) 1—21.

1723 Die Exegese im Theologiestudium. Eine Antwort an N. Lohfink: StdZ 181 (1968) 196—201.

1724 Institutionelle Spiritualität der Kirche und persönliche Frömmigkeit: Christophorus 13 (1968) Nr. 1, 23—28.

1725 ○ *Sull'indulgenza* (Punti scottanti di teologia 8) *(Roma 1968)* (ital. Übers. von Nr. 1689).

1726 ○ Poverty: Contemporary Spirituality. Current Problems in Religious Life, ed. by R. W. Gleason SJ (New York 1968) 45—78 (engl. Übers. von Nr. 651).

1727 ○ Some Reflections on Obedience: ebd. 123—140 (engl. Übers. von Nr. 435).

1728 ○ *Une foi, qui aime le monde (Mulhouse 1968)* (franz. Übers. von Nr. 1426).

1729 Vorwort zu: F. Skoda, Die sowjetrussische philosophische Religionskritik heute (Quaest. disp. 36) (Freiburg i. Br. 1968) 5—7.

1730 Vorwort: Concilium 4 (1968) 155—157 (und ebenso in allen Übersetzungen der Zeitschrift).

1731 Das Problem der „Entmythologisierung" und die Aufgabe der Verkündigung: Concilium 4 (1968) 162—170.

1732 Vorwort zum Bulletin: „Situation der Verkündigung und Predigthilfe" (zus. mit K. Lehmann): ebd. 204—205.

1733 ○ Il problema della demitizzazione ed il compito della predicazione: Concilium 4 (1968) 3, 33—53 (ital. Übers. von Nr. 1731).

1734 ○ Note di introduzione (zus. mit K. Lehmann): ebd. 135—137 (ital. Übers. von Nr. 1732).

1735 ○ Demythologization and the Sermon: Concilium 4 (1968) 3, 12—20 (engl. Übers. von Nr. 1731).

1736 ○ Preaching and Preaching Aids: Introductory Remarks: ebd. 57 (engl. Übers. von Nr. 1732).

1737 ○ La Tâche de la prédication face au problème de la démythologisation: Concilium (1968) Heft 33, 23—40 (franz. Übers. von Nr. 1731).

1738 ○ Situation de la prédication et secours à lui apportés. Remarques préliminaires (zus. mit K. Lehmann): ebd. 109—110 (franz. Übers. von Nr. 1732).

1739 ○ Het Probleem van de „Entmythologisierung" en de taak van de verkondiging: Concilium 4 (1968) 3, 20—36 (niederländ. Übers. von Nr. 1731).

1740 ○ De situatie van de verkondiging en de hulpverlening bij de preek. Inleidende opmerking (zus. mit K. Lehmann): ebd. 106—108 (niederl. Übers. von Nr. 1732).

1741 ○ O Problema da „Desmitização" e a Tarefa da Pregação: Concilium 4 (1968) 3, 18—36 (portug. Übers. von Nr. 1731).

1742 ○ Situação Presente e Meios de Actualização da Pregação (zus. mit K. Lehmann): ebd. 106—107 (portug. Übers. von Nr. 17—32).

1743 ○ El problema de la „desmitologización" y el ejercicio de la predicación: Concilium 33 (1968) 374—394 (span. Übers. von Nr. 1731).

1744 ○ Situación actual de la predicación y sus medios auxiliares. Introducción preliminar (zus. mit K. Lehmann): ebd. (span. Übers. von Nr. 1732).

1745 ○ Preface: The Renewal of Preaching. Theory and Practice (= Concilium Vol. 33) (New Jersey 1968) 1—5 (engl. Übers. von Nr. 1730).

1746 ○ Demythologization and the Sermon: ebd. 20—38 (engl. Übers. von Nr. 1731).

1747 ○ Preaching and Preaching Aids. Introductory Remarks (zus. mit K. Lehmann) ebd. 115—117 (engl. Übers. von Nr. 1732).

1748 ○ *Theological Dictionary* (zus. mit H. Vorgrimler) *(New York [3]1968)* (vgl. Nr. 1219, 1292).

1749 *Von der Not und dem Segen des Gebetes* (Herder-Bücherei Bd. 28) *(Freiburg i. Br. [8]1968)* (vgl. Nr. 531, 585, 636, 756, 856, 985, 1196).

1750 ○ *The Celebration of the Eucharist* (zus. mit A. Häussling) *(New York 1968)* (engl. Übers. von Nr. 1417).

1751 ○ *Minister Christi. Meditaties over het Priesterschap (Hilversum 1968)* (niederländ. Übers. von Nr. 1665).

1752 *Biblische Predigten (Freiburg i. Br. [4]1968)* (vgl. Nr. 1198, 1293, 1717).

1753 ○ Christianity and the New Earth: Knowledge and the Future of Man, ed. by W. J. Ong SJ (New York - Chicago - San Francisco 1968) 255—268 (engl. Übers. von Nr. 1651).

1754 ○ Sui consigli evangelici: I Religiosi oggi e domani (Roma 1968) 73 bis 122 (ital. Übers. von Nr. 978).

1755 ○ Il valore delle cose e la povertà del cristiano: I grandi teologi rispondono (Roma 1968) 201—202.

1756 ○ Cristo soffre nella Messa?: ebd. 86.

1757 Die Praktische Theologie im ganzen der theologischen Disziplinen: Die praktische Theologie zwischen Wissenschaft und Praxis (Studien zur praktischen Theologie 5) (hrsg. von R. Bohren, K. Frör, M. Seitz) (München 1968) 46—64.

1758 ○ *Nuovi saggi I (Roma 1968)* (ital. Übers. von Nr. 1250).

1759 ○ Thomas Aquinas: Friar, Theologian and Mystic: Cross and Crown XX (1968) Nr. 1, 5—9 (engl. Übers. von Nr. 730).

1760 Kirche der Zukunft — zwischen Planen und Hoffen: Kirche zwischen Planen und Hoffen (Kassel 1968) 33—47.

1761 ○ Utopia Marxista i avenir cristià de l'homme: De l'anatema al diàleg, hrsg. von R. Garaudy (Barcelona 1968) 9—25 (katalan. Übers. von Nr. 1424).

1762 Vorwort zu: G. Geppert, Songs der Beatles. Texte und Interpretationen (Schriften zur Katechetik 11) (München 1968) 7—9.

1763 ○ *Geloof en Aarde (Hilversum 1968)* (niederländ. Übers. von Nr. 1426).

1764 ○ Theology and the Magisterium after the Council: Theology Digest (St. Louis) (1968) Nr. 56, 4—16 (engl. Übers. von Nr. 1435).

1765 ○ Philosophy and Philosophizing in the Theology: ebd. 17—29 (engl. Übers. von Nr. 1772).

1766 ○ The Historical Dimension in Theology: ebd. 30—42 (engl. Übers. von Nr. 1329).

1767 ○ Atheism and Implicit Christianity: ebd. 43—56 (engl. Übers. von Nr. 1533).

1768 ○ Experiment: Man: ebd. 57—69 (engl. Übers. von Nr. 1404).

1769 ○ Christianity and the New Earth: ebd. 70—77 (engl. Übers. von Nr. 1651).

1770 ○ The Theology of Hope: ebd. 78—87 (engl. Übers. von Nr. 1721).

1771 ○ Building the New Earth: Dialogue I (1968) Vol 1, 58—63 (engl. Übers. von Nr. 1651).

1772 Philosophie und Philosophieren in der Theologie: die Zukunft der Philosophie, hrsg. von R. Schlette (Olten 1968) 105—127.

1773 Kann ein Christ Marxist sein? (zus. mit M. Machovec und J. B. Metz): Neues Forum XV (1968) Heft 173, 293—300.

1774 ○ The Role of the Church in the Articulation of Faith: Toward a Theology of Christian Faith. Readings in Theology prepared at the Canisianum/Innsbruck (New York 1968) 134—152 (engl. Übers. von Nr. 316).

1775 ○ The Celibacy of the Secular Priest Today: The Furrow XIX (1968) 59—73 (engl. Übers. von 1560).

1776 ○ The Theology of Risk: ebd. 266—268 (engl. Übers. von Nr. 1367).

1777 Gebet eines Diakons am Abend vor seiner Priesterweihe: Korrespondenzblatt der Unio Apostolica (Münster) XI (1968) Heft 4, 9—11 (vgl. Nr. 1787).

1778 Bemerkungen zum Begriff der Offenbarung: Theologisches Jahrbuch, hrsg. von A. Dänhardt (Leipzig 1968) 9—18 (vgl. Nr. 1125).

1779 Hochschulgemeinde als Modell künftiger Pfarrstrukturen: Kirche in der Stadt III, hrsg. vom Österreichischen Seelsorgeinstitut (Wien 1968) 60 bis 62 (vgl. Nr. 1338).

1780 ○ *La fede che ama la terra (Roma 1968)* (ital. Übers. von Nr. 1426).

1781 ○ Easter: An Epilogue: A. Röper, The Fifteenth Station (New York 1968) 97—108 (engl. Übers. von Nr. 1940).

1782 ○ Pastoraltheologische Bemerkungen über den Episkopat in der Lehre des II. Vatikanum: Concilium 2 (Tokio 1968) 195—207 (japan. Übers. von Nr. 1144).

1783 „Immanente" und „transzendente" Vollendung: Teilhard de Chardin und das Problem des Weltbilddenkens (Naturwissenschaft und Theologie Heft 10) (Freiburg i. Br. 1968) 174—184.

1784 ○ *The Church and the Sacraments (New York ⁷1968)* (vgl. Nr. 880, 969, 993, 1076, 1340, 1663).

1785 Zur Frage nach Sinn und Berechtigung von „Priesterfeiern": Mitten in der Gemeinde, hrsg. vom Päpstlichen Werk für geistliche Berufe in Deutschland (München 1968) 13—19.

1786 Zur Erneuerung der Priesterweihe: ebd. 159—160 (vgl. Nr. 1665).

1787 Gebet eines Diakons am Abend vor seiner Priesterweihe: ebd. 169—171 (vgl. Nr. 1665).

1788 Wir haben es nicht bereut: ebd. 268 (vgl. Nr. 1311).

1789 ○ *La penitenza della chiesa. Saggi teologici e storici (Roma ²1968)* (vgl. Nr. 1017).

1790 *Demokratie in der Kirche?: Glauben — Wissen — Bildung. Schriftenreihe der Katholischen Studentengemeinde St. Fidelis/Freiburg i. Br. (Vorträge II/37) (vom 5. 6. 68) 2—17.*

1791 ○ *Everyday Faith (New York ²1968)* (vgl. Nr. 1716).

1792 ○ Theological Reflections on the Problem of Secularisation: Theology of Renewal I (Montreal 1968) 167—192 (engl. Übers. von Nr. 1858).

1793 Das Opfer in der Selbstwerdung: Dialog über den Menschen. Festschrift für W. Bitter zum 75. Geburtstag (Stuttgart 1968) 194—198.

1794 ○ *Servants of the Lord (New York 1968)* (engl. Übers. von Nr. 1665).

1795 Natur und Gnade nach der Lehre der Katholischen Kirche: L. Reinisch (Hrsg.), Theologie heute (München ⁴1968) 89—102 (vgl. Nr. 586, 629, 953).

1796 ○ *Écrits théologiques IX (Paris 1968)* (franz. Teil-Übers. von Nr. 642).

1797 Die neue Kirchlichkeit der Theologie. Statt eines Selbstportraits: GuL 41 (1968) 205—216.

1798 Demokratie in der Kirche?: StdZ 182 (1968) 1—15.

1799 ○ Vorwort zu: O. Muck, The Transcendental Method (New York 1968) 9—10.

1800 ○ *Oraciones para los días de retiro* (zus. mit H. Rahner) *(Zaragoza 1968)* (span. Übers. von Nr. 535).

1801 Die Zukunft der Kirche und der Theologie: Wort in Welt, hrsg. von K. Rahner - B. Häring. Festgabe für V. Schurr (Bergen-Enkheim 1968) 369—382.

1802 ○ *Nuovi saggi II. Saggi di spiritualità (Roma 1968)* (ital. Übers. von von Nr. 1440).

1803 ○ Kisérletezés az emberrel: Mérleg (Wien) 4 (1968) 224—238 (ungar. Übers. von Nr. 1404).

1804 ○ *Teologia della povertà (Roma ²1968) (vgl. Nr. 1700).*

1805 ○ *Spirit in the World (London - Sidney 1968)* (engl. Übers. von Nr. 466).

1806 ○ *L'Esprit dans le Monde (Paris 1968)* (franz. Übers. von Nr. 466).

1807 ○ *L'homme à l'écoute du Verbe (Paris 1968)* (franz. Übers. von Nr. 904).

1808 ○ *Lo dinámico en la Iglesia (Barcelona ²1968)* (vgl. Nr. 903).

1809 Die eine Kirche und die vielen Kirchen: Orientierung 32 (1968) 155—159.

1810 Zur Enzyklika „Humanae Vitae": StdZ 182 (1968) 193—210.

1811 ○ Teologia del quotidiano: Monastica (Roma) IX (1968) 2, 7—19 (ital. Übers. von Nr. 1038).

1812 Die Papsterklärung — kein letztes Wort: Die Welt (Hamburg) Nr. 198 (1968) (vom 25. 8. 68) 8 (Auszug aus Nr. 1810).

1813 Freiheit: Sacramentum Mundi II, hrsg. von K. Rahner - A. Darlap (Freiburg i. Br. 1968) 95—98.

1814 Geheimnis: ebd. 189—196.

1815 Glaubenszugang: ebd. 414—420.

1816 Gnade III.: ebd. 450—465.

1817 Gnadentheologie: ebd. 465—469.

1818 Gnade und Freiheit: ebd. 469—475.

1819 Häresiengeschichte: ebd. 562—572.

1820 Heilswille Gottes: ebd. 656—664.

1821 Hölle: ebd. 735—739.

1822 Hominisation II: ebd. 754—761.

1823 Inkarnation: ebd. 824—840.

1824 Jesus Christus II—III.: 920—957.

1825 Kirchengliedschaft: ebd. 1209—1215.

1826 Kirchenverfassung I.: ebd. 1283—1289.

1827 Kirche und Welt: ebd. 1336—1357.

1828 Der Zölibat des Weltpriesters im Gespräch II. Eine Antwort: GuL 41 (1968) 285—304.

1829 „Priester zu gut für die Ehe?" Interview: Mann in der Zeit (Köln) vom 1. 9. 68, 10—11.

1830 ○ Koncil — novy začátek: Via I (1968) 1, 2—6 (tschech. Übers. von Nr. 1295).

1831 ○ Meditationen zum 4., 5., 6., 8. Sonntag nach Pfingsten: Via I (1968) 1, 21 (tschech. Übers. von Auszügen aus Nr. 1687).

1832 ○ Democracy in the Church: The Month (London) 126 (1968) 105—119 (engl. Übers. von Nr. 1798).

1833 ○ Rahner on the Encyclical „Humanae Vitae“: The National Catholic Reporter (Kansas City, Mo.) 4 (1968) Nr. 46 (18. 9. 68) 6—7 (engl. Übers. von Nr. 1810).

1834 Das Gebet des Einzelnen und die Liturgie der Kirche: Strukturen christlicher Existenz. Beiträge zur Erneuerung des geistlichen Lebens, hrsg. von H. Schlier, E. v. Severus, J. Sudbrack, A. Pereira. Festgabe für Friedrich Wulf SJ (Würzburg 1968) 189—198.

1835 ○ Humanismo cristiano: Selecciones de teología (Barcelona) 7 (1968) Nr. 27, 251—257 (span. Übers. von Nr. 1656).

1836 Häresien in der Kirche?: Theologische Akademie V, hrsg. von K. Rahner - O. Semmelroth (Frankfurt 1968) 60—87.

1837 ○ Angel: Sacramentum Mundi I. An Encyclopedia of Theology (London 1968) 27—35 (engl. Übers. von Nr. 1629).

1838 ○ Atheism: ebd. 116—122 (engl. Übers. von Nr. 1617).

1839 ○ Beatific vision: ebd. 151—153 (engl. Übers. von Nr. 1616).

1840 ○ Bible I.: ebd. 171—178.

1841 ○ Christianity I.: ebd. 299—311 (engl. Übers. von Nr. 1623).

1842 ○ Church III, IV.: ebd. 327—332 (engl. Übers. von Nr. 1825).

1843 ○ Church and world: ebd. 346—357 (engl. Übers. von Nr. 1827).

1844 ○ Contrition: Sacramentum Mundi II (London 1968) 1—4.

1845 ○ Conversion: ebd. 4—8.

1846 ○ Death: ebd. 58—62.

1847 ○ Devil II: ebd. 73—75.

1848 ○ Disposition: ebd. 92—94 (engl. Übers. von Nr. 1625).

1849 ○ Dogma I., II., IV.: ebd. 95—98, 102—111 (engl. Übers. von Nr. 1626—1628).

1850 ○ Ecumenism III.: evd. 200—202.

1851 ○ Eschatology: ebd. 242—246 (engl. Übers. von Nr. 1632).

1852 ○ Evolution II: ebd. 289—297 (engl. Übers. von Nr. 1633).

1853 ○ Existence III.: ebd. 306—307 (engl. Übers. von Nr. 1634).

1854 ○ Faith I.: ebd. 310—313 (engl. Übers. von Nr. 1815).

1855 ○ Freedom III.: ebd. 361—362 (engl. Übers. von Nr. 1813).

1856 ○ Grace II., III.: ebd. 415—424 (engl. Übers. von Nr. 1816, 1817).

1857 ○ Grace and freedom: ebd. 424—427 (engl. Übers. von Nr. 1818).

1858 ○ Réflexions théologiques sur le problème de la sécularisation: La Théologie du Renouveau II. Texte intégral des travaux présentés au Congrès international de Toronto publié sous la direction de Laurence K. Shook et Guy M. Bertrand (Montreal - Paris 1968) 257—279.

1859 ○ De drievuldige God als transcendente oergrond van de Heilsgeschiedenis: Mysterium Salutis IV (Hilversum 1968) 11 (niederländ. Übersetzung von Nr. 1285).

1860 ○ Methode en structuur van het tractaat „De Deo Trino“: ebd. 11 bis 52 (niederländ. Übers. von Nr. 1285).

1861 ○ Hoofdlijnen van de officiële kerkelijke triniteitsleer: ebd. 53—80 (niederländ. Übers. von Nr. 1286).

1862 ○ Systematische schets van een theologie der Triniteit: ebd. 80—124 (niederländ. Übers. von Nr. 1287).

1863 ○ Het begin van de heilsgeschiedenis. Algemene Fundering van de protologie en de theologische antropologie: ebd. 125 (niederländ. Übers. von Nr. 1288).

1864 ○ Principiële overwegingen bij de antropologie en de protologie in het kader der theologie: ebd. 126—145 (niederländ. Übers. von Nr. 1288).

1865 ○ Antropologische uitgangspunten voor de Zelfontplooiing van de Kerk. Hoofdlijnen van een theologische antropologie: Handboek van de Pastoraaltheologie III (Hilversum 1968) 19—42 (niederländ. Übers. von Nr. 1356).

1866 ○ Heilsbemiddeling en heilsproces: formele grondstrukturen van de heilsbemiddeling: ebd. 43—51 (niederl. Übers. von Nr. 1357).

1867 ○ De verschillende aspecten der vroomheid: ebd. 51—71 (niederländ. Übers. von Nr. 1358).

1868 ○ De formeel juist gestructureerde verkondiging van de christelijke boodschap: ebd. 109—123 (niederl. Übers. von Nr. 1359).

1869 ○ Intimiteit van de godsdienst en godsdienstige propaganda: ebd. 123—130 (niederl. Übers. von Nr. 1360).

1870 ○ Het verschil tussen theoretische en praktische moraal: ebd. 130—142 (niederl. Übers. von Nr. 1361).

1871 ○ „taktische" structuren van de zielzorg: ebd. 143—157 (niederländ. Übers. von Nr. 1362).

1872 ○ De kerk in de huidige situatie. Theologische analyse van de tegenwoordige Tijd als situatie van de zelfontplooiing der Kerk. Wetenschaptheoretische beschouwingen vooraf: ebd. 158—166 (niederl. Übers. von Nr. 1363).

1873 ○ Korte schets van de huidige situatie (zus. mit N. Greinacher) ebd. 166—200 (niederl. Übers. von Nr. 1364).

1874 ○ Godsdienst en kerk in de moderne maatschappij (zus. mit N. Greinacher): ebd. 200—211 (niederl. Übers. von Nr. 1365).

1875 ○ Theologische interpretatie van de huidige situatie als situatie van de Kerk: ebd. 211—240 (niederl. Übers. von Nr. 1366).

1876 ○ De fundamentele imperatieven voor de activiteit van de Kerk in de huidige situatie: ebd. 240—265 (niederl. Übers. von Nr. 1367).

1877 Im Beichtstuhl nach der Pille fragen? Spiegelgespräch über die Enzyklika zur Geburtenregelung: Der Spiegel 22 (1968) Nr. 39 (vom 23. 9. 68) 166 bis 176.

1878 Leidet Christus in der Messe?: Laien fragen — Theologen antworten (Remscheid 1968) 61 (vgl. Nr. 1756).

1879 Der Wert der Dinge und die Armut des Christen: ebd. 138 (vgl. Nr. 1755).

1880 *Gnade als Freiheit. Kleine theologische Beiträge* (Herder-Bücherei Bd. 322)

(Freiburg i. Br. 1968) (Der Band enthält chronologisch geordnet folgende Beiträge: Nr. 1082, 1203, 1223, 1237, 1260, 1338, 1347, 1443, 1452, 1517, 1573, 1577, 1643, 1652, 1679, 1688, 1724, 1797, 1798, 1834, 1941; ferner 8 unveröffentlichte Beiträge; insgesamt 29 Beiträge).

1881 ○ *Discepoli di Cristo (Roma 1968)* (ital. Übers. von Nr. 1665).

1882 ○ *Dieu dans le Nouveau Testament* (Foi vivante 81) *(Paris 1968)* (franz. Teil-Übers. von Nr. 205 und 222).

1883 Kommentar zu Weihnachten: Überredung zu Weihnachten, hrsg. von G. Rein (München 1968) 17—22.

1884 Nachruf auf Romano Guardini: Klerusblatt (München) 48 (1968) Nr. 20 (vom 15. 10. 68) 347—348.

1885 Vom Geheimnis des Lebens: Das Geheimnis des Lebens (Veröffentlichungen der katholischen Akademie der Erzdiözese Freiburg, Nr. 13, hrsg. von H. Gehrig) (Karlsruhe 1968) 57—64.

1886 ○ Meditación sobre la palabra Dios: Diálogos 4 (1968) Nr. 4, 31—34 (span. Übers. von Nr. 1941).

1887 Priester, Ehe und Zölibat — ein Interview: Sonntag (Olten) 49 (1968) Nr. 38 (22. 9. 68) 18—19 (vgl. Nr. 1829).

1888 ○ Piedad actual y piedad del futuro: Selecciones de Teología (Barcelona) 7 (1968) Nr. 27, 216—220 (span. Übers. von Nr. 1429).

1889 Der Zölibat des Weltpriesters im heutigen Gespräch: Der Zölibat, hrsg. von F. Böckle (Mainz 1968) 69—75 (Auszug aus Nr. 1560).

1890 ○ Le Christ souffre-t-il à la messe?: Dialogues sur la foi II (Paris 1968) 89. (vgl. Nr. 1878).

1891 ○ Pasqua: A. Röper, La via crucis dell'uomo contemporaneo (Med. theol. 17) (Brescia 1968) 99—110 (ital. Übers. von Nr. 1140).

1892 *Alltägliche Dinge* (Theol. Meditationen 5) *(Einsiedeln 71968)* (vgl. Nr. 1038, 1111, 1168, 1244, 1328, 1389).

1893 *Im Heute glauben* (Theol. Meditationen 9) *(Einsiedeln 41968)* (vgl. Nr. 1142, 1327, 1432).

1894 ○ De verhouding van de Kerk tot de situatie in het algemeen: Handboek van de Pastoraal-Theologie IV (Hilversum 1968) 13 (niederländ. Übers. von Nr. 1368).

1895 ○ Algemene kerkelijke strategie: ebd. 13—19 (niederländ. Übers. von Nr. 1368).

1896 ○ Algemene beginselen van centralisatie en decentralisatie in de kerk: ebd. 19—32. (niederländ. Übers. von Nr. 1369).

1897 ○ De taak van de Kerk in de blijvend wereldse wereld: ebd. 32—44 (niederländ. Übers. von Nr. 1370).

1898 ○ Kerygma e Dogma: Mysterium salutis II, hrsg. von J. Feiner — M. Löhrer (Brescia 1968) 166—269 (ital. Übers. von Nr. 1282).

1899 ○ Storicità della mediazione (zus. mit K. Lehmann): ebd. 295—366 (ital. Übers. von Nr. 1283/84).

1900 Wovon singen die Beatles?: Unsere Seelsorge (Münster) 18 (1968) Nr. 4, 17—18. (vgl. Nr. 1762).

1901 ○ Psicosis de Hereija en la Iglesia postconciliar: Problemas de fe et moral, ed. a cargo de R. Rincón (Barcelona 1968) 203—205 (span. Übers. von Nr. 1514).

1902 ○ Elegirán al Papa los obispos: ebd. 206—208 (span. Übers. von Nr. 1428).

1903 ○ Los bienes temporales y la pobreza cristiana: ebd. 219—220 (span. Übers. von Nr. 1755).

1904 ○ La fe del sacerdote hoy: Selecciones de Teológia (Barcelona) 7 (1968) Nr. 28, 337—346 (span. Übers. von Nr. 1648).

1905 Das synodale Prinzip: Reformation aus Rom, hrsg. von K. Rahner — M. v. Galli — O. Baumhauer (München 1968) 15—23 (vgl. Nr. 1669).

1906 ○ Aanschouwing Gods: Sacramentum Mundi I. (Hilversum 1968) 6 bis 9 (niederländ. Übers. von Nr. 1616).

1907 ○ Aflaat: ebd. 36—49 (niederländ. Übers. von Nr. 1613).

1908 ○ Angelologie: ebd. 70—77 (niederländ. Übers. von Nr. 1615).

1909 ○ Anthropologie III, Theologische: ebd. 102—111 (niederländ. Übers. von Nr. 1616a).

1910 ○ Atheisme: ebd. 216—226 (niederländ. Übers. von Nr. 1617).

1911 ○ Bekering: ebd. 266—274.

1912 ○ Berouw: ebd. 297—302.

1913 ○ Boete, Sacrament van de: Sacramentum Mundi II (Hilversum 1968) 76—99 (niederländ. Übers. von Nr. 1622).

1914 ○ Boetvaardigheid: ebd. 99—107 (niederländ. Übers. von Nr. 1621).

1915 ○ Bovennatuurlijke Orde: ebd. 101—107.

1916 ○ Het christendom: ebd. 188—211 (niederländ. Übers. von Nr. 1623).

1917 ○ Deugden: Sacramentum Mundi III (Hilversum 1968) 30—34.

1918 ○ Dialoog en interkonfessionele samenwerking: ebd. 51—55 (niederländ. Übers. von Nr. 1624).

1919 ○ Dispositie: ebd. 103—106 (niederländ. Übers. von Nr. 1625).

1920 ○ Dogma: ebd. 106—112 (niederländ. Übers. von Nr. 1626).

1921 ○ Dogmageschiedenis: ebd. 112—122 (niederländ. Übers. von Nr. 1628).

1922 ○ Dogmatiek: ebd. 130—136 (niederländ. Übers. von Nr. 1627).

1923 ○ Dood: ebd. 139—147.

1924 ○ Duivel: ebd. 184—189.

1925 ○ Engel: ebd. 229—236 (Niederländ. Übers. von Nr. 1629).

1926 ○ Erfzonde: ebd. 268—279 (niederländ. Übers. von Nr. 1630).

1927 ○ Eschatologie: ebd. 291—299 (niederländ. Übers. von Nr. 1632).

1928 Über die Gegenwart Christi in der Diasporagemeinde nach der Lehre des II. Vatikanischen Konzils: Adunare. Pastorale Aufsätze, hrsg. von H. Aufderbeck (Leipzig 1968) 21—34 (vgl. Nr. 1670).

1929 Frömmigkeit heute und morgen: ebd. 91—106 (vgl. Nr. 1429).

1930 Die Forderung nach einer „Kurzformel" des christlichen Glaubens: ebd. 107—116 (vgl. Nr. 1534).

1931 ○ *Riflessioni sull'enciclica „Humanae Vitae"* (zus. mit B. Häring) (punti scottanti di teologia 26) *(Roma 1968)* 7—58 (ital. Übers. von Nr. 1810).

1932 ○ *Theology of Pastoral Action. Studies in Pastoral Theology I (New York 1968)* (engl. Übers. von Nr. 1044—1058).

1933 ○ Towards a Theology of Hope: Concurrence I (New York — London) I (1968) 23—33 (engl. Übers. von Nr. 1721).

1934 Glaubensvollzug und Glaubenshilfe: Handbuch der Pastoraltheologie III (Freiburg i. Br. 1968) 518—528.

1935 Die Rücksicht auf die verschiedenen Altersstufen in der immer erneuten Glaubensmystagogie: ebd. 528—534.

1936 Die missionarische Sendung des einzelnen Gläubigen in der Begegnung mit dem Ungläubigen: ebd. 671—677.

1937 Vorwort zu: Die Antwort der Theologen (Düsseldorf 1968) 7—8.

1938 Gespräch mit J. B. Metz über Probleme der heutigen Theologie: ebd. 9—27.

1939 Kommentar zu Weihnachten: Katholischer Digest 22 (1968) 12, 1—4 (vgl. Nr. 1883).

1940 ○ Athéisme et sécularisation: Réflexions théologiques: Bolletino Di Informazione (Secretariatus Pro Non-Credentibus) (Roma 1968) III/4, 18—20.

1941 Meditation über das Wort „Gott": Wer ist das eigentlich — Gott?, hrsg. von H. J. Schultz (München 1968) 13—21.

1942 ○ Christianity and the „New Man": The Sacred and the Secular, ed. by M. J. Taylor SJ (New Jersey 1968) 84—103 (engl. Übers. aus Nr. 1348).

1943 *Ich glaube an Jesus Christus* (Theol. Meditationen 21) *(Einsiedeln 1968).*

1944 ○ *Dizionario di Teologia* (zus. mit H. Vorgrimler) *(Roma - Brescia) 1968)* (ital. Übers. von Nr. 720).

1945 ○ *Maria. Meditazioni (Roma - Brescia 1968)* (ital. Übers. von Nr. 416).

1946 ○ Mediazione della salvezza e processo della salvezza: Studi di Teologia pastorale (Roma - Brescia 1968) 11—18 (ital. Übers. von Nr. 1357).

1947 ○ L'importanza dei diversi aspetti della pietà: ebd. 19—39 (ital. Übers. von Nr. 1358).

1948 ○ La giusta struttura formale del messaggio cristiano: ebd. 115—128 (ital. Übers. von Nr. 1359).

1949 ○ Intimità del fatto religioso e propaganda religiosa: ebd. 131—151 (ital. Übers. von Nr. 1360).

1950 ○ Differenza tra Morale teoretica e reale: ebd. 139—153 (ital. Übers. von Nr. 1361).

1951 ○ Strutture „tattiche" della pastorale: ebd. 155—171 (ital. Übers. von Nr. 1362).

1952 Dogmatische Grundlagen des priesterlichen Selbstverständnisses: Mitten in dieser Welt (82 Deutscher Katholikentag in Essen 1968) (Paderborn 1968) 96—115.

1953 *Schriften zur Theologie V (Einsiedeln ³1968)* (vgl. Nr. 804, 1080).

1954 ○ On the Theology of the Incarnation: Word and Mystery, ed. by Leo J. O'Donovan SJ (New York 1968) 273—290 (engl. Übers. aus Nr. 1450).

1955 ○ *Reflexiones en torno a la Humanae Vitae* (con una introducción del P. B. Häring) *(Madrid 1968)* (span. Übers. von Nr. 1810).

1956 ○ *A-propos de l'encyclique „Humanae Vitae"* (Foi vivante 38) (Brüssel) 38 (1968) 9 (franz. Übers. von Nr. 1810).

1957 ○ On the Encyclical „Humanae Vitae": Catholic Mind LXVI (New York) (1968) 28—45 (engl. Übers. von Nr. 1810).

1958 ○ *On Prayer (Glen Rock 1968)* (vgl. Nr. 539).

1959 *Glaube, der die Erde liebt* (Herder-Bücherei Bd. 266) *(Freiburg i. Br. ⁴1968)* (vgl. Nr. 1426, 1522, 1599).

1960 *Kleines Konzilskompendium* (zus. mit H. Vorgrimler) (Herder-Bücherei 270—273) *(Freiburg i. Br. ⁴1968)* (vgl. Nr. 1439, 1646, 1650).

1961 *Knechte Christi (Freiburg i. Br. ²1968)* (vgl. Nr. 1665).

1962 ○ Démocratie dans l'église?: Documents 23 (1968) Heft 5, 31—49 (franz. Übers. von Nr. 1798).

1963 *Schriften zur Theologie II (Einsiedeln ⁸1968)* (vgl. Nr. 379, 443, 512, 641, 751, 851, 1074).

1964 *Schriften zur Theologie VI (Einsiedeln ²1968)* (vgl. Nr. 1250).

1965 Zur Theologie des ökumenischen Gespräches: Martyria — Leiturgia — Diakonia, hrsg. von O. Semmelroth, K. Rahner. R. Haubst. Festgabe für Bischof H. Volk (Mainz 1968) 163—199.

1966 ○ A szekularizmusból erédö ateizmus nány kérdése: Theologiai szemle 11—12 (1968) 335—340 (ungar. Übers. von Nr. 1940).

1967 Gott ist keine naturwissenschaftliche Formel: Aral-Journal Winter 1968, 2—4 (vgl. Nr. 1260).

1968 Zur Enzyklika Humanae Vitae: F. Oertel (Hrsg.), Erstes Echo auf Humanae Vitae (Essen 1968) 25—29 (Auszug aus Nr. 1810).

1969 *Kirche und Sakramente* (Quaest. disp. 10) *(Freiburg i. Br. ³1968).* (vgl. Nr. 718, 940).

1970 ○ *Spirit in the World (New York 1968)* (vgl. Nr. 466).

1971 ○ *Le prêtre et la paroisse* (Foi vivante 73) (Paris 1968) (franz. Auszug aus Nr. 1313).

1972 *Kleines Kirchenjahr — in Blindenschrift, 2 Bd.* (vgl. Nr. 310).

1973 ○ Naar aanleiding van de encykliek „Humanae Vitae": Streven (Amsterdam) 22 (1968) 1, 5—23 (niederl. Übers. von Nr. 1810).

1974 Die Papsterklärung — kein letztes Wort: Die Enzyklika in der Diskussion. Eine orientierende Dokumentation zu Humanae Vitae, hrsg. von F. Böckle - C. Holenstein (Einsiedeln 1968) 57—63 (vgl. Nr. 1812).

1975 Über die Möglichkeit des Glaubens heute: G. Otto (Hrsg.), Glauben heute II. Ein Lesebuch zur katholischen Theologie der Gegenwart (Hamburg 1968) 11—36 (vgl. Nr. 804).

1976 Diskussionsbeiträge: H. Jedin, Vaticanum II und Tridentinum. Tradition und Fortschritt in der Kirchengeschichte (Arbeitsgemeinschaft für Forschung des Landes Nordrhein-Westfalen, Geisteswissenschaften Heft 146) (Köln — Opladen 1968) 32—34, 34—38, 54.

1977 ○ Pogled u zivot jednog teologa: Spectrum (Zagreb 1968) 49—70.

1978 *Kleines Theologisches Wörterbuch* (zus. mit H. Vorgrimler) *(Freiburg i. Br. [7]1968)* (vgl. Nr. 720, 766, 899, 1005, 1231, 1555).

1979 ○ La doctrina del Vaticano II sobre el diaconado y su restauración: el diácono en la Iglesia y en el mundo de hoy (Barcelona 1968) 263—272 (span. Teilübers. von Nr. 1414).

1980 Über die Gegenwart des Herrn in der christlichen Kultgemeinde: Die neue Gemeinde, hrsg. von A. Exeleser, J. B. Metz, W. Dirks. Festschrift für Th. Filthaut (Mainz [2]1968) 11—22 (vgl. Nr. 1670).

1981 ○ Le schéma du P. Karl Rahner. De la révélation de dieu et de l'Homme faite en Jésus-Christ: Vatican II. La Révélation divine, II (Unam Sanctam 70 b) (Paris 1968) 577—597.

1982 ○ *A Anthropologia: Problema Theologica (São Pãolo 1968)* (portug. Teilübers. von Nr. 737).

1983 ○ *Revelação e Tradição* (zus. mit J. Ratzinger) *(São Pãolo 1968)* (portug. Übers. von Nr. 1128).

1984 ○ *Sull' indulgenza (Roma [2]1968)* (vgl. Nr. 1725).

1985 ○ *Problema da Hominização* (zus. mit P. Overhage) *(São Pãolo 1968)* (portug. Übers. von 737).

1986 ○ I documenti del Concilio Vaticano Secundo (Roma [7]1968) (vgl. Nr. 1704).

1987 ○ *Riflessioni sull'enciclica „Humanae Vitae"* (mit B. Häring) *(Roma [2]1968)* (vgl. Nr. 1810).

1988 ○ Regulação dos nascimentos e obediêcia ao Magistério da Igreja: Mariam (Porto) 2 (1968) 10—12, 93—97 (portug. Übers. von Nr. 1810).

1989 ○ Der Spiegel entrevista o P. Rahner: ebd. 164—165 (portugies. Übers. von Nr. 1877).

1990 *Kleines Konzilskompendium* (zus. mit H. Vorgrimler) (Herder-Bücherei Bd. 270—273) *(Freiburg i. Br. [5]1968)* (vgl. Nr. 1439, 1646, 1650, 1960).

1990a Fortschritte der Medizin und die Grenzen der ärztlichen Pflicht: Jahresschrift 1968 der Gesellschaft zur Förderung der Westfälischen Wilhelmsuniversität in Münster (hrsg. von d. Gesellschaft) (Münster 1968) 67—70.

1990b Meditationen zum Kirchenjahr (Leipzig [2]1968) (vgl. Nr. 1687).

1990c ○ O inspiraci Pisma svatého: Via (Prag) 1 (1968) 62—64 (tschech. Übers. von Nr. 902).

1991 ○ Hell: Sacramentum Mundi III (London 1969) 7—9 (engl. Übers. von Nr. 1821).
1992 ○ History of Heresies: ebd. 18—23 (engl. Übers. von Nr. 1819).
1993 ○ Incarnation: ebd. 110—118 (engl. Übers. von Nr. 1823).
1994 ○ Indulgences: ebd. 123—129 (engl. Übers. von Nr. 1613).
1995 ○ Jesus Christ IV: History of Dogma and Theology: ebd. 192—209 (engl. Übers. von Nr. 1824).
1996 ○ Last things: ebd. 274—276.
1997 ○ Magisterium: ebd. 351—358.
1998 ○ Man III: Theological: ebd. 365—370.
1999 Christentum, was ist das eigentlich?: Katholischer Digest 23 (1968) 1, 21 bis 26 (vgl. Nr. 1534).
2000 Brief an holländische Karmelitinnen: Christliche Innerlichkeit (Wien) Jan.—Febr. 1969, 1—2.
2001 *Zur Reform des Theologiestudiums* (Quaest. disp. 41) *(Freiburg i. Br. 1969)* (vgl. Nr. 1722, 1723).
2002 ○ A propos de l'encyclique Humanae Vitae (zus. mit Card. Renard und B. Häring) (Le point 7) (Paris 1969) 11—54 (franz. Übers. von Nr. 1810).
2003 ○ *A propos de „humanae vitae" (Paris 1969)* (franz. Übers. von Nr. 1810).
2004 ○ Reflexiones sobre la muerte: Tribuna médica (Madrid) VI (1969) Nr. 258 (31. 1. 69) 14—15.
2005 ○ Hérésies dans l'Église actuelle?: Au Service de la Parole de Dieu. Mélanges offerts à Monsignore André-Marie Charue, Évêque de Namur (Gembloux 1969) 407—430 (franz. Übers. von Nr. 1836).
2006 ○ *Saggi di spiritualità (Roma ²1969)* (vgl. Nr. 1265).
2007 ○ *Sentido Teológico de la muerte (Barcelona ²1969)* (vgl. Nr. 1154).
2008 Hungern für Biafra? Orientierung 33 (1969) 25—27.
2009 Vom Beten heute: Geist und Leben 42 (1969) 6—17.
2010 ○ Saggi sui sacramenti e sull'escatologia (Roma ²1969) (vgl. Nr. 1221).
2011 ○ Saggi d'antropologia soprannaturale (Roma ²1969) (vgl. Nr. 1243).
2012 ○ Saggi sulla chiesa (Roma ²1969) (vgl. Nr. 1325).
2013 Dienen unter der Torheit des Kreuzes: Unsere Seelsorge (Münster) 19 (1969) Nr. 2, 1—3 (vgl. Nr. 2008).
2014 ○ Simul iustus et peccator: Selecciones de Teología (Barcelona) 8 (1969) Nr. 29, 42—50 (span. Übers. von Nr. 945).
2015 ○ Culpa y perdón de la culpa coma región fronteriza entre teología psicoterapia: ebd. 79—86 (span. Übers. von Nr. 273).
2016 Anständig über Gräben. Karl Rahner SJ über das Konzil-Buch „Die Autorität der Freiheit": Literatur im Spiegel, hrsg. von R. Becker (Hamburg 1969) (240—243) (vgl. Nr. 1676).

2017 Zukunft der Kirche und der Theologie: Was wird morgen anders sein? Wissenschaftler sehen die Zukunft, hrsg. von O. Hersche (Olten - Freiburg i. Br. 1969) 117—137 (vgl. Nr. 1801).

2018 ○ Une foi qui aime le monde (Mulhouse - Paris ²1969) (vgl. Nr. 1728).

2019 Vom Hören und Sehen; eine theologische Überlegung: Bild — Wort — Symbol in der Theologie, hrsg. von W. Heinen (Würzburg 1969) 139 bis 156 (vgl. Nr. 1222).

2020 ○ Humanismo cristiano: Aguirre, Arangueren, Sacristan y otros, Cristianos y marxistas. Los Problemas de un Diálogo (Madrid 1969) 35—53 (span. Übers. von Nr. 1690).

2021 ○ Considerazione teologiche sulla secolarizzazione (punti scottanti di teologia 28) (Roma 1969) (ital. Übers. von Nr. 1858).

2022 ○ Pohansti krestané a krestansti prohane: Via (Prag) 2 (1969) 1, 13—14 (tschech. Übers. von Nr. 193).

2023 ○ Vsedni veci (Prag 1969) (tschech. Übers. von Nr. 1038).

2024 Das moderne Priesterbild: Zur Pastoral der geistlichen Berufe. Heft 7 (Freiburg i. Br. 1969) 39—51 (vgl. Nr. 1952).

2025 ○ Om den økumeniske samtales teologi: Lumen (Kopenhagen) 12 (1969) 1—39 (dän. Übers. von Nr. 1965).

2026 Ein spielender Mensch. Nachruf auf P. Hugo Rahner SJ: IHS (Zürich) 1969 Heft 2, 2.

2027 Vorwort zu: E. Klinger, Offenbarung im Horizont der Heilsgeschichte (Einsiedeln 1969) 11—12.

2028 Vorwort (zus. mit K. Lehmann, H. Schuster): Concilium 5 (1969) 157 bis 158 (ebenso in allen Übersetzungen).

2029 Der theologische Ansatzpunkt für die Bestimmung des Wesens des Amtspriestertums: Concilium 5 (1969) 194—197.

2030 Die gegenwärtige Diskussion über den Zölibat (zus. mit K. Lehmann): Concilium 5 (1969) 222—223.

2031 ○ What is the Theological Starting-point for a Definition of the Priestly Ministry?: Concilium 3 (1969) No. 5, 43—46 (engl. Übers. von Nr. 2029).

2032 ○ The Discussion on Celibacy. Editorial Introduction (zus. mit K. Lehmann): Concilium 3 (1969) No. 5, 72—73 (engl. Übers. von Nr. 2030).

2033 ○ Le premier point de départ théologique d'une recherche pour déterminer l'essence du sacerdoce ministériel: Concilium Nr. 43, 77—82 (franz. Übers. von Nr. 2029).

2034 ○ La discussion actuelle sur le célibat. Introduction (zus. mit K. Lehmann): Concilium Nr. 43, 133—134 (franz. Übers. von Nr. 2030).

2035 ○ O Ponto de Partido Teológico para a Determinação da Essência do Sacerdócio Ministerial: Concilium (1969) Nr. 3, 78—84 (portug. Übers. von Nr. 2029).

2036 ○ A actual discussão sobre o celibato. Introdução (zus. mit K. Lehmann): Concilium (1969) Nr. 3, 129—130 (portug. Übers. von Nr. 2030).

2037 ○ Gespräch mit Prof. M. B. Metz: La risposta dei teologi (Brescia 1969) 59—94 (ital. Übers. von Nr. 1938).

2038 Theologische Reflexionen zum Priesterbild von heute und morgen: Weltpriester nach dem Konzil (hrsg. von Fr. Henrich) (Münchener Akademie-Schriften Bd. 46) (München 1969) 90—118.

2039 Der Pluralismus in der Theologie und die Einheit des Bekenntnisses in der Kirche: Concilium 5 (1969) Heft 6/7.

2040 ○ Apelos ao deus do silêncio (Lissabon 1969) (portug. Übers. von Nr. 72).

SCHALLPLATTEN

Advent, Ankunft der Zukunft (harmonia mundi EL 60 113).

Weihnacht, erfüllter Abgrund (harmonia mundi EL 60 114).

Abstieg in unsern Tod (harmonia mundi EL 60 115).

Tod und Auferstehung (Ansprachen zum Karfreitag und zur Osternacht) (Christophorus-Schallplatte CGLX 75 903).

Brot zum Leben (zus. mit Heinrich Böll) (harmonia mundi EL 60 116).

Löscht den Geist nicht aus (Discophon 50 119).

Konzil — ein neuer Beginn (Vortrag im Herkulessaal der Residenz in München am 12. 12.65) (Tedec T 75 262 — und harmonia mundi, documenta ecclesiae 70 317).

II. HERAUSGEBER

Lexikon für Theologie und Kirche (zus. mit J. Höfer) (zweite Auflage, Freiburg i. Br. 1957—1967) 10 Bde. mit Registerband.

Das Zweite Vatikanische Konzil. Konstitutionen, Dekrete und Erklärungen I bis III (Ergänzung zum Lexikon für Theologie und Kirche) (zus. mit H. S. Brechter, B. Häring, J. Höfer, H. Jedin, J. A. Jungmann, K. Mörsdorf, J. Ratzinger, K. Schmidthüs, J. Wagner) (Freiburg i. Br. 1966—1968).

Sacramentum Mundi. Theologisches Lexikon für die Praxis (zus. mit A. Darlap) (Freiburg i. Br. 1968 ff.).

- Sacramentum Mundi. An Encyclopedia of Theology (zus. mit C. Ernst, K. Smyth) (London 1968 ff.).
- Sacramentum Mundi. Theologisch Lexikon voor de praktijk (Hilversum 1968 ff.).

Handbuch der Pastoraltheologie. Praktische Theologie der Kirche in der Gegenwart (zus. mit F. X. Arnold, V. Schurr, L. M. Weber) (Freiburg i. Br. 1964—1969) 4 Bde.

- Handboek van de pastoraaltheologie (Hilversum 1966 ff.).
- Studi di Teologia pastorale (Roma-Brescia 1968 ff.).
- Studies in Pastoral Theology (New York 1968 ff.).

Quaestiones disputatae (zus. mit H. Schlier) (Freiburg i. Br. 1958 ff.) bisher 41 Bände. Übersetzungen in französisch, englisch, portugiesisch, spanisch, italienisch. Theologische Akademie (zus. mit O. Semmelroth) (Frankfurt 1965 ff.). Bisher 5 Bände.

- Academia teológica (zus. mit O. Semmelroth) (Salamanca 1967 ff.).

Wort in Welt. Studien zur Theologie der Verkündigung. Festgabe für Viktor Schurr (zus. mit B. Häring) (Bergen - Enkheim 1968).

Martyria — Leiturgia — Diakonia. Festschrift für Bischof Hermann Volk (zus. mit O. Semmelroth, R. Haubst) (Mainz 1968).

Concilium. Internationale Zeitschrift für Theologie (Mitherausgeber) (1965 ff.). Ausgaben in deutsch, niederländisch, französisch, englisch, spanisch, italienisch, portugiesisch, ferner eine amerikanische Ausgabe und Sonderhefte in Japan). Internationale Dialogzeitschrift (zus. mit H. Vorgrimler) (Freiburg i. Br. 1968 ff.).

Concurrence. A Review for the Encounter of Commitments (Zus. mit H. Vorgrimler) (New York - London 1968 ff.).

Folia Humanistica (Mitherausgeber) (Barcelona 1962 ff.).

III. AUSEINANDERSETZUNG MIT K. RAHNER

Diese Zusammenstellung ist ein erster und noch sehr unvollkommener Versuch. Sie beansprucht nicht, die ganze Literatur, die zum Werk von Karl Rahner bislang erschienen ist, vollständig aufzuführen. Sie will dazu nur ein Anfang sein.

1. Blajot J., El Seglar y la teología según Karl Rahner: Apostolado Laical (Madrid 1963) 1, 5—12.
2. Burrell D. B., Many Masses and One Sacrifice; A Study of the Thought of Karl Rahner: Yearbook of Liturgical Studies 2 (1961) 103—117.
3. Dulles A., The Ignatian Experience as Reflected in the Spiritual Theology of Karl Rahner: Philippine Studies (New Jersey 1965) 471—494.
4. Ernst C., Some Themes on the Theology of Karl Rahner: Irish Theological Quarterly 32 (1965) 251—257.
5. Ferreti G., La filosofia della religione come antropologia in un'opera di Karl Rahner: Rivista di filosofia neoscolastica (Mailand) LVI (1964) Fasc. I.
6. Geißer H., Die Interpretation der kirchlichen Lehre vom Gottmenschen bei Karl Rahner SJ: Kerygma und Dogma 14 (1968) 307—330.
7. Gelpi D., Life and Light: Guide to the Theology of Karl Rahner (New York 1966).
8. Gelpi D., Rahners Theology of the Sacred Heart Devotion: Woodstock Letters (1966) 405—417.
9. González E., La persona y sus proyecciones axiológicas en Karl Rahner: Franciscanum (Bogota/Colombia) VII (1965) Nr. 20, 129—201.
10. Gouhier A., De la création en Théologie. Essai sur une hypothèse de Karl Rahner: Contacts. Revue française de l'orthodoxie XVII (1965) Nr. 52, 302—326.
11. Hill W., Uncreated Grace: A Critique of Karl Rahner: The Thomist 27 (1963) 333—356.
12. James John H., Karl Rahner, Man as the Being Who Must Question Being: The Thomist Spectrum (New York 1966).
13. Kenny J. P., Problem of Concupiscence: A Recent Theory of Karl Rahner: Australasian Catholic Record 29 (1952) 290—304; (1953) 23—32.
14. Levi A., The Religious teaching of Karl Rahner: The Month (London) 34 (1965) 235—245.
15. Lindbeck G. A., The Thought of Karl Rahner: Christianity and Crisis 25 (1965) 211—215.
16. Mc Cool G. A., Philosophy of Human Person in Karl Rahner's Theology: Theological Studies 22 (1961) 537—562.
17. Malinski M., Das Leben der Kirche nach Karl Rahner (Rom 1966).
18. Maxey M. N., Original Sin Revisited in the Light of Karl Rahner's Supernatural Existential: Barat Faculty Review 1. 1. (Jan. 1966) 57—73.
19. A Modern Conception of the Salvation of Infidels Which Hampers Apostolic Zeal According to Karl Rahner: Christ to the World 8 (1963)

421—428; replies 8 (1963) 543—544; 9 (1964) 84—86, 166—168, 272, 364—365.
20. Murray C., Basic Principle of Mariology: Karl Rahner and Duns Scotus: Australasian Catholic Record 39 (1962) 68—74.
21. O'Meara Th., Karl Rahner on Priest: Worship 40 (1966) 2, 103—110.
22. Prendergast R., The Supernatural Existential, Human Generation and Original Sin: Downside Review 82 (1964) 1—24.
23. Quinn E., Hearers of the Word: Discussion of „Hörer des Wortes": Downside Review 68 (1950) 146—157.
24. Richard R., Rahner's Theory of Doctrinal Development: Proceedings of the Catholic Theological Society of America 18 (1963) 157—180.
25. Riesenhuber Kl., Rahner's Anonymous Christian: Theology Digest 13 (1965) 163—171.
26. Riesenhuber Kl., The Anonymous Christian according to Karl Rahner: The Anonymous Christian, by Anita Röper (New York 1966) 145—171.
27. Riesenhuber Kl., El cristianismo anónimo según Karl Rahner: El hombre, cristiano implícito — von Anita Röper (Buenos Aires 1968) 161—181.
28. Roberts L., The Achievement of Karl Rahner (New York 1967).
29. Shalk A., Beyond the Council: Fr. Rahner's Views: U. S. Catholic 29 (1963) 14.
30. Simons E., Philosophie der Offenbarung. Auseinandersetzung mit K. Rahner (Stuttgart 1966).
31. Speck J., Karl Rahners theologische Anthropologie (München 1967).
32. Topel L., Rahner and McKenzie on the Social Theory of Inspiration: Scripture 16 (1964) 33—44.
33. Van Roo W. A., Reflections on Karl Rahner's „Kirche und Sakramente": Gregorianum 44 (1963) 465—500.
34. Waldenfels H., „... omnes homines vult salvos fieri ..." (1. Tim. 2, 4). De sententia P. Caroli Rahner SJ circa voluntatem salvificam Dei universalem: Shingaku Kenkyu (Tokio 1962) Nr. 12.
35. Wallace W., Existential Ethics: A Thomistic Appraisal: The Thomist 27 (1963) 493—515.
36. H. U. v. Balthasar, Cordula oder der Ernstfall (Einsiedeln 1966).
37. L. Elviers, Die Taufe der Weltreligionen. Bemerkungen zu einer Theorie Karl Rahners: ThGl 55 (1965) 124—131.
38. H. Geisser, Kontroverse um einen Reformplan des katholischen Theologiestudiums: Theologia Practica IV (1969) 65—72.
39. A. Gerken, Offenbarung und Transzendenzerfahrung (Düsseldorf 1969).
40. Th. Kaiser, Die gott-menschliche Einigung in Christus als Problem der spekulativen Theologie seit der Scholastik (München 1968) 264—290.
41. H. Kruse, Die „Anonymen Christen" exegetisch gesehen: MThZ 18 (1967) 2—29.
42. N. Lohfink, Text und Thema — Anmerkungen zum Absolutheitsanspruch der Systematik bei der Reform der theologischen Studien: StdZ 181 (1968) 120—126.

43. L. Malevez, La gratuité du surnaturel: NRTh 75 (1953) 561—586, 673 bis 689.
44. L. Malevez, Présence de la théologie à Dieu et à l'homme: NRTh 90 (1968) 785—800.
45. O. Muck, Die transzendentale Methode in der scholastischen Philosophie der Gegenwart (Innsbruck 1964).
46. Th. J. Notherway, „Supernatural Existential": Chicago Studies IV (1965) 79—103.
47. H. Ott, Existentiale Interpretation und anonyme Christlichkeit: Zeit und Geschichte (Festgabe R. Bultmann, hrsg. v. E. Dinkler) (Tübingen 1964) 367—379.
48. W. Pannenberg, Grundzüge der Christologie (Gütersloh 1964), dort passim.
49. K. Riesenhuber, Der „anonyme Christ" nach Karl Rahner: ZKTh 86 (1964) 286—303.
50. A. Röper, Die anonymen Christen (Mainz 1963).
51. W. Ch. Shepherd, Karl Rahner and the problem of nature and grace (Diss. Yale University 1967).
52. D. T. Strotmann, Primauté et Céphalisation: Irénikon 37 (1964) 187 bis 197.
53. H. Verweyen, Ontologische Voraussetzungen des Glaubensaktes (Düsseldorf 1969).
54. P. Weß, Die Inkomprehensibilität Gottes und ihre Konsequenzen für die Gotteserkenntnis bei Thomas von Aquin und Karl Rahner (Diss. Innsbruck 1968).
55. Gaboriau Fl., Interview sur la mort avec K. Rahner (Paris 1967).

IV. BIBLIOGRAPHISCHES UND INTERVIEWS

1. Curić J., Rahnerova služba: Posebni otisak (Bogolovska Smotra) 35 (1965) 92—102.
2. Dych W., Father Rahner and the Curia: Stalemate of hope?: Ave-Maria (National Catholic Weekly) (Notre Dame/Ind.) 109 (1969) Nr. 5, 6—7.
4. Granfield P., An Interview: Karl Rahner: Theologian at Work: The American Ecclesiastical Review 152 (1965) 217—230.
5. Granfield P., Theologian at Work. Personal Interviews (New York — London 1967) 35—50.
6. Hodgson P. C., Karl Rahner: The New Day Catholic Theologians of the Renewal, ed. by W. J. Boney - L. E. Molumby (Richmond/Virginia 1968) 46—61.
7. Laubach J., Karl Rahner: Rheinisch L. (Ed.), Theologians of Our Time (Notre Dame/Ind. 1964) 188—201.
8. Mascall E. L., Behind the Tortuous Style of Rahner: Times 18. 11. 67, 10.
9. Metz J. B., Karl Rahner: Tendenzen der Theologie im 20. Jahrhundert. Eine Geschichte in Porträts, hrsg. von H. J. Schultz (Stuttgart 1966) 513 bis 518.

10. Metz J. B., Karl Rahner — Rundgang durch sein Arbeitsfeld: Korrespondenzblatt des Canisianum/Innsbruck 90 (1956—57) Heft 1—2, 57—62.
11. Papapetrou K., Prosopa kai themata (R. Bultmann, P. Tillich, D. Bonhoeffer, K. Rahner) (Athen 1967).
12. Perez T., Karl Rahner, el mejor teólogo especulativo de hoy: 18 Propulsores del Concilio (Bilbao 1965) 9—30.
13. Profile: Karl Rahner SJ: Catholic Book Merchandiser 7 (1964) 24—26.
14. Schilling P., Karl Rahner: Contemporary Continental Theologians (Nashville/Tenn. 1966) 206—226.
15. Vorgrimler H., Karl Rahner, Leben, Denken, Werke (Freiburg i. Br. 1963).
16. Vorgrimler H., Karl Rahner, Denker over God en wereld (Tielt 1962).
17. Vorgrimler H., Karl Rahner, his Life, Thought and Works (London 1965).
18. Vorgrimler H., Karl Rahner, his Life, Thought and Works (Glen Rock 1966).
19. Vorgrimler H., Karl Rahner (Rom 1965).
20. Vorgrimler H./Müller Ch., Karl Rahner (Paris 1965).
21. Vorgrimler H., Vida y obra de Karl Rahner (Madrid 1965).
22. O'Brien J. A., An Interview with Karl Rahner: U. S. Catholic (Chicago 1964) Oct. 6—8.

V. FESTSCHRIFT

Gott in Welt. Festgabe für Karl Rahner zum 60. Geburtstag, hrsg. von J. B. Metz, W. Kern, A. Darlap, H. Vorgrimler (Freiburg i. Br. 1964) Bd. 1 und 2.

- God en wereld (Hilversum 1965) Bd. 1—5 (niederländ. Übers. der Festschrift).
- Orizzonti attuali della teologia (Roma 1967) Bd. 1—2 (ital. Übers. der Festschrift).
- Dios en el mundo. Homenaje a Karl Rahner: Manuel García Doncel, Selecciones de libro (Barcelona 1965) 3/4, 90—186 (ausführliche Würdigung der Festschrift).

B. ANALYTISCHER AUFRISS DER SCHRIFTEN KARL RAHNERS

Von Elmar Klinger

Der Aufriß versucht, alle Titel der Bibliographie (die Vorworte sind im allgemeinen ausgenommen) wenigstens einmal systematisch zu erfassen. Da bei verschiedenen Arbeiten der konkrete Anlaß eine nicht unwesentliche Rolle spielt, war es notwendig, für praktische Theologie und Theologie des geistlichen Lebens eigene Abschnitte vorzusehen. Zum (systematischen) Gebrauch des Registers wäre es deshalb empfehlenswert, die entsprechenden Stichworte auch dieser an sich nicht dogmatischen Teile zu verwenden.
Die Nummern zwischen den Klammern bedeuten, daß der betreffende Beitrag unter der angegebenen Zahl auch in einem Sammelband bzw. einer sonst leichter zugänglichen Ausgabe zu finden ist.
Die darüber hinaus verwendeten Abkürzungen sind folgende:

Schriften zur Theologie I—VIII = S. I—VIII
Sendung und Gnade = S. u. G.
Knechte Christi = K. C.

I. ALLGEMEINE DOGMATIK

1. Formale Theologie

Theologische Grundbegriffe

Offenbarung 914, 1125 (1128), 1981.
Heilsgeschichte 793/863/898 (S. V), 1408 (S. VIII).
Anthropologie 482, 483, 822, 909, 1288, 1356, 1612 (S. VIII).
Geheimnis 600 (S. IV), 614, 679, 812, 1814.

Theologie als Wissenschaft

Formale Bezugspunkte
Ansätze zu einer Theologie des Wortes 411 (S. III), 572 (S. u. G.), 649 (S. IV), 667 (S. IV), 693, 701, 1218, 1941 (1880).
Theologie in ihrer formalen Beziehung zum geschriebenen und verkündeten Wort Gottes 123, 701, 702, 783 (S. V.), 888 (S. VI), 1218.
Theologie und kirchliche Lehre 1435 (S. VIII, 1797 (1880), 2039.
Theologie und Philosophie 48, 562, 850 (S. VI), 1612 (S. VIII), 1772, 2001.
Theologie und Naturwissenschaft 333 (S. III), 886 (S. VI), 1568, 1260 (1880).

Gegenstandsbereiche
Dogmatik 337 (S. I), 558, 611, 713 (S. V), 1212, 1627.
Zum Verhältnis von Dogmatik und biblischer Theologie 524, 733 (S. V), 1024.
Praktische Theologie 1044, 1372, 1391, 1757 (S. VIII).
Theologie in ihrem praktischen Vollzug
Schultheologie 1026, 1212.
Theologiestudium 322/324 (S. u. G.), 1073 (S. VI), 1723, 2001.
Geschichtlichkeit der Theologie und ihre künftigen Aufgaben 1329 (S. VIII), 1968 (S. VIII), 1760.
Zur Theologie bekannter Theologen 427, 1123, 1124, 1141, 1176, 1237, 1643 (1880), 1884 (1880), 2026.
Zur Situation heutiger Theologie 71, 1222, 1638.

Vorarbeiten aus dem philosophischen Bereich
88 (466), 90, 113 (904), 246, 562, 824, 909, 1035.

2. Fundamentale Theologie

Der Mensch vor Gott
in seiner Fähigkeit zu hören 113 (904), 481, 483.
in seiner Freiheit 113 (904), 149, 256 (S. II), 302 (S. II), 450 (S. u. G.), 612, 1079 (S. VI), 1206, (S. VI), 1223 (1880), 1235, 1411, 1679 (1880), 1813, 1880.
in seinem Erkennen 101, 113 (904), 467, 620, 664, 784, 1260 (1880).
in seinem Recht 73, 831, 919.
in seiner Leiblichkeit 88 (466), 565 (S. IV), 566, 685, 1523.

Grundgegebenheiten der Heilsgeschichte
Offenbarungsgeschichte
Religion und Religionen 656, 742 (S. V), 921, 1018, 1031, 1408 (S. VIII), 1593.
Altes Testament 479, 523, 822, 914, 1024, 1614.
Neues Testament 832.
Christliche Geschichte
Prophetie und Inspiration 252, 412 (488), 814, 902, 915.
Schrift und Tradition 412 (488), 657, 666, 879, 881 (S. VI), 902, 1024, 1025, 1981.
Geschichte des abendländischen Christentums 473, 530, 583, 699, 916, 1623.

Das Christentum und die modernen Weltanschauungen
Das Christentum 530, 1018, 1203 (1880), 1593, 1623.
Zur Intellektualität des christlichen Glaubens 1179 (S. VI), 1334 (S. VII), 1530, 2001.
Das anonyme Christentum
Der Nichtchrist 321 (S. III), 327, 1065, 1130, 1250 (S. VI).
Die nichtchristliche Religion 742 (S. V), 1408 (S. VIII), 1593.
Das Christentum als Religion der absoluten Zukunft 745 (S. V), 1135 (S. VI), 1424, 1445, 1454, 1531 (S. VIII).
Christlicher Humanismus 1346, 1404 (S. VIII), 1413, 1667 (S. VIII), 1690, 1773.
Atheismus 485, 1533 (S. VIII), 1617, 1940.

II. SPEZIELLE DOGMATIK

1. Gotteslehre

Probleme des Traktats 622, 652 (S. IV), 828, 1316 (S. VIII).
Gott 124, 205/222 (S. I), 477, 478, 615, 661, 825, 1216, 1260 (1880).
Der Heilswille Gottes 661, 1820.
Selbstmitteilung Gottes 1027, 1047, 1287.
Immanente und transzendente Trinität 652 (S. IV), 1046, 1047, 1285, 1286, 1287.

2. Schöpfungslehre

Zum Traktat im ganzen 1023.
Angelologie 480, 524, 554, 1209, 1615, 1629.
Abstammung des Menschen 475, 563, 567, 822, 911, 918, 1030, 1288.
Urgeschichte 486, 907, 917, 1215.
Erbsünde 422, 1578, 1630.
Konkupiszenz 112 (S. I), 1858 (S. VIII).
Monogenismus 319 (S. I), 610, 827, 1578.
Selbsttranszendenz und Evolution 566, 677, 685, 737, 927, 930 (S. VI), 1630, 1822, 1885 (S. VI).

3. Christologie

Grundaspekte heutiger Christologie 18, 326 (S. I), 665, 829, 1824.

Die Person Jesu
Wissen und Selbstbewußtsein 763 (S. V).
Menschwerdung 385 (S. III), 521 (S. IV), 794 (S. V), 1823.
Tod 590 (S. IV), 1214, 1824.
Auferstehung 487, 590 (S. IV), 1618, 1619, 1620.
Die Stellung Jesu in der Heilsgeschichte 749 (S. V), 1042, 1408 (S. VIII).

Jesus Christus in seiner Bedeutung für unser Gottesverhältnis
Erlösung 1028, 1631.
Bedeutung seiner Menschheit 271 (S. III), 823.
Jesus Christus als Mittler unseres Glaubens 1637 (S. VIII), 1708 (S. VIII), 1943.

4. Gnadenlehre

Probleme des Traktats 619, 1817.
Existential 188 (S. I), 586 (S. IV), 564 a, 1408 (S. VIII), 1634.
Gnadenerfahrung 149, 339 (S. III), 618, 896.
Natur und Gnade 70, 154, 188 (S. I), 404, 481, 489 (S. IV), 569, 571 (S. u. G.), 586, 1378.
Gnade und Freiheit 70, 149, 660, 662, 910, 1034, 1818.
Geschaffene und ungeschaffene Gnade 46, 85 (S. I), 617, 658, 659, 1816.
Rechtfertigung 516 (S. IV), 560, 920, 945 (S. VI), 1625, 1880.
Gesetz 153, 388.
Sünde und Sündenstrafe 266 (S. II), 1032, 1033, 1079 (S. VI).
Verdienst 134 (K. C.), 429 (S. III), 1217.

Theologische Tugenden
Zur Lehre im allgemeinen 1211.
Glaube 689 (S. V), 804 (S. V), 805 (K. C.), 1142, 1334, 1815.
Hoffnung 1721 (S. VIII).
Liebe 712, 717 (S. V), 1165 (S. VI), 1266 (1426).

5. Ekklesiologie

a) Kirche in ihrer Urgestalt — Mariologie

Grundaspekte der Mariologie 145, 335, 402 (S. u. G.), 416, 819, 820, 1001, 1177.
Unbefleckte Empfängnis 305 (S. I), 313 (S. III), 378, 416.
Jungfräulichkeit 416, 645 (S. IV).
Leibliche Aufnahme in den Himmel 190, 219, 221 (S. I), 336, 416.

b) Kirche in ihrer inneren Struktur

Die Kirche als eschatologische Präsenz Gottes 905 (S. VI), 1045, 1046, 1047.

Die Grundfunktionen der Kirche

Die Struktur der Funktionen 1059, 1060-62.
Die Kirche in ihrer Verfassung iuris divini
Zur Verfassung iuris divini im allgemeinen 791 (S. V), 1062, 1331, 1798 (1880), 1826.
Das kirchliche Amt 663, 1052, 1053, 1161 (S. VI), 1427, 1463.
Papst und Bischofskollegium 496 (S. u. G.), 736, 765 (S. V), 906, 924 (S. VI), 950, 1331, 1463, 1703 (S. VIII).
Die einzelne Gemeinde 1314 (S. VIII), 1331, 1441 (S. VIII), 1670 (S. VIII).

Die Kirche als Grundsakrament

Die sakramentale Grundstruktur der Kirche 389 (718), 1061.
Die personale und ekklesiologische Funktion der Sakramente 258 (S. II), 389 (718), 509, 517, 565 (S. IV), 1020, 1022, 1625.
Die Sakramente in ihren einzelnen Vollzügen:
Taufe 47, 718, 633 (S. VII).
Firmung 718.
Buße
Arbeiten zur Bußgeschichte 19, 47, 70, 152, 189, 207, 250, 257, 375, 514.
Buße als personaler Akt 420, 527, 1621.
Das Bußsakrament als Wiederversöhnung mit der Kirche 274 (S. II), 528, 718, 1622, 1698 (S. VIII).
Bußdisziplin 338 (S. III) 526, 923.
Beichte 7 (S. III), 323, 338 (S. III), 556, 708, 826.
Ablaß 370 (S. VIII), 379 (S. II), 474, 705, 1013, 1689 (S. VIII).
Eucharistie
Gegenwart Christi 541 (S. IV), 595 (S. IV), 649 (S. IV), 718, 1029, 1670 (S. VIII).
Opfer und Opfermahl 17 (S. III), 187 (217), 351, 706, 709, 718, 833.
Ordo 718.
Ehe 718, 1595 (S. VIII).
Krankensalbung 689 (S. V), 707, 718, 1233.

Die Kirche in der Darstellung ihrer Lehre

Die allgemeine Funktion der Lehre 316 (S. VII), 1060.
Lehramt 710, 1331.
Dogma und Dogmenentwicklung 308 (S. I), 421, 520 (S. IV), 557, 559, 713 (S. V), 1282, 1283, 1284, 1626, 1628, 1976.
Häresie 159 (216), 206, 655, 696 (S. V), 1819, 1836.

Das Charismatische in der Kirche

Seine Bedeutsamkeit 414 (S. VII), 529, 535, 782, 785, 870 (S. VII), 1052.

Der besondere Auftrag des einzelnen 128 (216), 141 (1426), 455 (535), 457 (535), 639 (S. u. G.), 653 (S. VI), 1051, 1393 (S. VII).
Existentialethik 160 (216) 198, 371 (S. III), 379 (S. II), 425 (535), 455 (535), 867 (1426), 1319 (S. VI), 1361.
Privatoffenbarung 137, 138, 148 (252), 161, 913, 1880.

c) Kirche im Spannungsfeld der Ökumene
Kirche der Heiligen und Sünder 129 (S. VI), 380 (S. III), 1069 (S. VII), 1317 (S. VI), 1451.
Kirchengliedschaft 132 (S. II), 704, 1825.
Kirche und die Einheit der getrennten Christen 281 (S. III), 777 (S. V), 1408 (S. VIII), 1624, 1652 (1880), 1809, 1965.
Themen des ökumenischen Gesprächs 516 (S. IV), 541 (S. IV), 945 (S. VI), 1177, 1210, 1265, 1319 (S. VI), 1965.

d) Kirche als das Sakrament der Welt
Zum grundsätzlichen Verhältnis von Kirche und Welt 922, 1378, 1526, 1827.
Die heilsmittlerische Funktion der Kirche 1314 (S. VIII), 1050, 1357.
Die Möglichkeiten der Kirche beim Aufbau einer neuen Welt 905 (S. VI), 1566 (S. VIII), 1651 (S. VIII), 1705 (S. VIII), 1783 (S. VIII).

6. Eschatologie
Zum Begriff 564, 1632.
Perspektiven der allgemeinen Eschatologie 646 (S. IV), 905 (S. VI), 1651 (S. VIII), 1783 (S. VIII).
Tod als Tat der Freiheit 158/449 (537), 471 (537), 548 (S. IV), 581, 821, 1213, 1531 (S. VIII).
Die Eschatologie im Vollzug ihrer einzelnen Momente 609, 616, 711, 1616, 1821.
Parusie und Auferstehung 278 (S. II), 433, 905 (S. VI), 908.

III. PRAKTISCHE THEOLOGIE

1. Die Grundstruktur des Selbstvollzugs der Kirche
Die Kirche als eschatologische Präsenz Gottes 905 (S. VI), 1045, 1046, 1047.
Volk Gottes und Hierarchie als Träger des Selbstvollzugs der Kirche 1048, 1049, 1304.
Die Struktur der Funktionen
Leitungsfunktionen
Bischof und Bistum 1054, 1145 (S. VI), 1331, 1463.
Priester und Presbyterium 912, 1055, 1952, 2029, 2038.
Pfarrer und Pfarrei 126 (S. u. G.), 147 (S. II), 424 (437), 1056, 1338 (1880).
Diakon und Diakonat 462 (S. u. G.), 555, 795 (S. V), 1057, 1332 (S. VIII), 1606.
Papst und römische Zentralregierung 924 (S. VI), 1058.
Die Funktion des Laien 16 (S. III), 228, 311, 315 (S. II), 348, 413 (S. u. G.), 501, 582, (S. u. G.), 633 (S. VIII), 1051, 1379, 1936.

2. Der Selbstvollzug der Kirche in der Gegenwart

Grundsätzliches
Die heutige Situation 848 (S. VI), 1363, 1364, 1365, 1366.
Der heutige Auftrag der Kirche 402 (S. u. G.), 1367, 1368, 1370, 1932.
Prinzipien und Grundaspekte zur heutigen Verkündigung 1060, 1358, 1359, 1534 (S. VIII), 1731.
Grundprinzipien zur heutigen Mission der Kirche 1371—1376.

Vollzugsweisen sachgerechten kirchlichen Verhaltens
Zur Praxis der bischöflichen Kollegialität 860, 897 (S. VI), 924 (S. VI), 1428, 1669.
Zur Praxis amtskirchlichen Verhaltens 801 (S. V), 1161 (S. VI), 1435 (S. VIII), 1810.
Seelsorgsstrategie 1362, 1368, 1369.
Seelsorge in der Differenz verschiedener Bereiche 282, 306 (S. u. G.), 390 (S. u. G.), 572 (S. u. G.), 579 (S. u. G.), 1361, 1762, 1934, 1935.
Öffentlichkeit und religiöse Intimsphäre 272/357 (S. u. G.), 1360.
Dialog und Pluralismus 909, 976 (S. VI), 1169 (S. VI), 1194 (S. VI), 1512 (S. VIII), 1624.
Zum augenblicklichen Gespräch zwischen den Kirchen 201, 676, 734, 771, 869, 997, 1064, 1396, 1561, 1624, 1652 (1880), 1676, 1965.
Zum jüdisch-christlichen Gespräch 687, 724, 1390.
Zur Arbeit des Konzils 928, 950, 977, 1001, 1112, 1228, 1295, 1320, 1443 (1880).
Freiheit in der Kirche 229 (279), 251, 253, 255 (279), 256 (S. II), 302 (S. II), 450 (S. u. G.), 1512 (S. VIII), 1798 (1880).
Kirchenfrömmigkeit heute 316 (S. VII), 694, 697, 1135 (S. VI), 1228 (S. VI), 1573 (1880), 1577 (1880), 1671, 1880.

Die Kirche und der Mensch der Zukunft
Die Kirche angesichts heutiger Weltprobleme
im politischen Bereich 643 (S. IV), 1136, 1557 (S. VIII), 2008.
im sozialem Bereich 573 (S. IV), 1381, 1566 (S. VIII), 1572, 1705 (S. VIII).
im biologisch-medizinischen Bereich 1404 (S. VIII), 1406, 1688 (1880), 1698 (S. VIII), 1810, 1877, 1990 a.
Wissenschaft und Säkularisation 1380, 1453 (1880), 1530, 1858 (S. VIII), 1940.
Religions- und Gewissensfreiheit 952, 1411, 1880.
Aufgaben der Kirche in der Zukunft 892, 1170, 1189 (S. VI), 1226 (S. VII), 1314 (S. VIII), 1347 (1880), 1592, 1760, 1798 (1880).

IV. Theologie des geistlichen Lebens

1. Grundlegung

Aus der Theologiegeschichte 2, 3, 4, 5, 6, 86, 87 (1426), 89.
Gnadenerfahrung 149, 339 (S. III), 618, 896.
Amtliche und private Frömmigkeit

7 (S. III), 258 (S. III), 535, 692 (S. V), 1358, 1695, 1834 (1880).
Christliche Existenz heute 263, 340 (S. u. G.), 344, 607, 697 (S. V), 804 (S. V), 805 (K. C.), 815, 848 (S. VI), 1142, 1226 (S. VII), 1252, 1379, 1429 (S. VII), 1440 (S. VII), 1724 (1880), 1880.

2. EINZELFRAGEN
Mystik und Weltfrömmigkeit 43 (S. III), 192, 561, 830.
Gebet 1, 8, 133 (S. III), 142, 171, 182, 268 (S. III), 269, 353, 374, 376, 613, 692 (S. V), 1834 (1880), 2009.
Gebetstexte 33—42 (72), 123, 170, 265 (K. C.), 328 (S. VII), 341, 342, 373, 416, 534, 749, 1096, 1426, 1665 (K. C.).
Exerzitien 1122, 1393 (S. VII).
Aszese 127 (S. III), 172 (S. III), 283 (S. III), 470, 498 (S. u. G.), 1556 (1598), 1793 (S. VIII).
Christliche Tugenden 435 (S. u. G.), 503 (S. VII), 650 (S. VII), 680, 1121 (S. VII), 1657 (K. C.).
Evangelische Räte 435 (S. u. G.), 651 (S. VII), 978 (S. VII).
Predigtmeditationen zum Kirchenjahr
zum gewöhnlichen Sonntag 193 (1426), 194, 196 (1426), 362 (1426), 532, 533, 731, 1132, (S. VII), 1198, 1204 (1426).
zu besonderen Anlässen des Jahres 164, 200 (241), 261, 286, 310.
Advent 162/163 (1426), 165/166 (1426), 184, 310.
Weihnachten 167 (1426), 183, 230 (231), 232, 285, 310, 385 (S. III), 439, 491, 837 (1426), 838 (1426), 1082 (1880), 1256 (S. VII), 1426, 1440 (S. VII), 1654.
Feste in der Weihnachtszeit 168 (1426), 183, 191, 310, 444 (1426), 492 (1426).
Fastenzeit 142, 144, 310, 1517 (1880).
Kartage 352 (S. VII), 355, 452 (S. VII), 507, 589, 602.
Ostern 130, 215 (1426), 310, 312, 358 (S. VII), 409 (1426), 1140 (S. VII).
Pfingsten 131 (K. C.), 247, 310, 341, 414 (S. VII), 648 (S. VII), 890.
Herrenfeste 10, 267, 310, 317, 365 (1426), 568, 575 (S. VII), 744 (S. VII), 1426.
Engel- und Heiligenfeste 11, 12, 45, 233, 244, 254, 310, 428 (S. VII), 494 (1426), 730 (1426).
Eucharistische Frömmigkeit 17 S. III), 44, 187 (217), 267, 342, 362 (1426), 365 (1426), 498 (S. u. G.), 577 (S. u. G.), 591, 595 (S. IV), 603 (S. u. G.), 778 (S. VII).
Herz-Jesu-Verehrung 6, 135, 264 (S. III), 277 (S. u. G.), 310, 318 (S. III), 384 (S. u. G.), 513 (S. VII), 565 (S. IV), 647, 813, 834 (S. VII), 1003, 1448 (K. C.), 1507.
Marienfrömmigkeit
Besondere Verehrung 228, 286, 314, 320, 325, 416, 946.
Unbefleckte Empfängnis 313 (S. III), 354, 416, 627 (1426).
Zur leiblichen Aufnahme in den Himmel: 195, 197, 204, 208, 219, 224, 310, 416, 464.
Heiligenverehrung 380 (S. III), 1069 (S. VII), 1451.
Religiöse Weihe 16 (S. III), 149, 325.
Meditationen über Alltag und alltägliche Dinge 169, 364, 405, 406 (S. VII), 446, 447, 553, 570 (1426), 778 (S. VII), 1038, 1222 (1426).

Wort Gottes und Musik 570 (1426), 576, 594, 693, 1762.
Das religiöse Buch 572 (S. u. G.), 722, 809.

Menschen in der Kirche

Priester

Die Existenz des Priesters heute 125 (S. III), 126 (S. u. G.), 136, 377, 411 (S. III), 460, 805 (K. C.), 875, 1448 (K. C.), 1507, 1657 (K. C.), 1952.

Zölibat 1560 (K. C.), 1828, 1829.

Priesterfeiern 245 (S. III, K. C.), 265 (K. C.), 415 (S. u. G.), 456 (K. C.), 835 (K. C.), 885, 1311 (K. C.), 1785.
Ordensleute 8, 418, 496, 1393 (S. VII), 2000.
Das Kind 459, 884 (S. VII).
Mann und Frau (S. u. G.), 1037 (S. VII), 1083.
An Eheleute 461, 515 (1426), 896.
Für Erzieher 307, 450 (S. u. G.).
Der Intellektuelle 328 (S. VII), 451 (S. u. G.), 1440 (S. VII), 1449.